WORDSEARCH

WORDSEARCH

ARCTURUS

ARCTURUS

This edition published in 2020 by Arcturus Publishing Limited
26/27 Bickels Yard, 151–153 Bermondsey Street,
London SE1 3HA

ISBN: 978-1-78888-561-4
AD006704NT

Printed in China

Capital Cities of the Americas

```
S A P E C A F G U O F N T
E O S N A H S E N T T A Q
R G S A N A V A H T S U C
I A M A N A G U A A A J A
A I Y L S S F L E W C N Y
S T H T D U A R Q A A A E
O N D K I Q N L M M R S N
N A A O U C O C V L A T N
E S U I W T A J I A C F E
U K T Y Z L R M T O D Y Y
B O G O T A A A A Y N O E
P O R T A U P R I N C E R
V W A I L I S A R B A I C
A E I K M N P W L L R P W
C L O B I R A M A R A P O
```

◊ ASUNCION   ◊ HAVANA   ◊ PARAMARIBO

◊ BOGOTA   ◊ LA PAZ   ◊ PORT-AU-
                                 PRINCE

◊ BRASILIA   ◊ LIMA
                               ◊ QUITO

◊ BUENOS   ◊ MANAGUA
  AIRES   ◊ SAN JUAN

               ◊ OTTAWA
◊ CARACAS   ◊ SAN
                                 SALVADOR
               ◊ PANAMA CITY

◊ CAYENNE
                               ◊ SANTIAGO

5

Languages

```
C V U C A T A L U E J Q H
T A P G D J Y P S H V C N
C U X L U C G P C I T I Y
V E E R G L E N E U L B M
H M R I V R E T D A H G C
S U W A A R N T G O T R D
I E N N F A F N J V E V S
L B T G M N E P C O K U O
G O I E A B U I L W N H E
N K S Z U R L E F D E S H
E E V W I M I G A E L I C
F G W E L G N A I X L N Y
W A L L O O N Q N Q V A E
E Y E S E U G U T R O P W
S A K H H S I D R U K S A
```

◊ BENGALI   ◊ FRENCH   ◊ SUNDA

◊ BHOJPURI   ◊ GAELIC   ◊ TELUGU

◊ CREOLE   ◊ HUNGARIAN   ◊ VIETNAMESE

◊ DUTCH   ◊ KURDISH   ◊ WALLOON

◊ ENGLISH   ◊ PORTUGUESE   ◊ WELSH

◊ ESPERANTO   ◊ SPANISH   ◊ XIANG

Fruits and Nuts

```
Y  S  J  O  K  H  N  D  G  O  X  D  M
R  A  R  O  D  I  N  I  K  P  M  U  P
R  D  H  O  O  A  W  G  J  R  G  T  J
E  W  H  I  T  E  C  U  R  R  A  N  T
B  R  E  R  O  F  Z  O  J  C  B  W  P
W  F  E  N  N  W  N  L  V  J  Y  E  U
A  J  R  D  I  A  J  I  I  A  A  C  T
R  P  I  K  C  R  F  V  L  C  H  U  A
T  A  Z  E  O  U  A  E  H  E  N  X  L
S  H  P  G  A  M  R  T  R  O  M  X  M
A  G  N  R  V  Q  P  R  C  A  U  O  O
Y  A  A  I  R  Y  O  A  E  O  E  N
M  E  P  Y  U  C  C  C  S  N  N  X  D
P  X  M  N  H  N  O  L  E  M  T  C  A
N  B  E  I  E  Y  X  T  H  M  L  D  R
```

◊ ALMOND

◊ APRICOT

◊ AVOCADO

◊ CHERRY

◊ COCONUT

◊ LEMON

◊ MANGO

◊ MELON

◊ NECTARINE

◊ OLIVE

◊ PEACH

◊ PEAR

◊ PECAN

◊ PRUNE

◊ PUMPKIN

◊ RED
  CURRANT

◊ STRAWBERRY

◊ WHITE
  CURRANT

4 Made of Leather

```
L X I Q J N T Y E T L B U
E I Q Y E R X R S E M C R
H H O A I T P H R L E I E
C C Z K H C E O U T C C T
T A S U J A N S P N D A S
A M E V T E E Q D U S R L
S E G H B O O T S A S S O
H R A C H V L T J G E E H
E A G S H L R E K L N A K
L C G R J A T S A P R T W
O A U H P V I A Y S A W A
A S L S M K W R I G H X L
G E P B A S K E T B A L L
X Y U A H R B B T T G U E
G N I D N I B K O O B F T
```

◊ BASKETBALL   ◊ GAUNTLET   ◊ SATCHEL

◊ BOOK   ◊ HARNESS   ◊ SHEATH
  BINDING
                  ◊ HOLSTER   ◊ SHOES
◊ BOOTS
                  ◊ LEASH   ◊ SKIRT
◊ CAMERA
  CASE   ◊ LUGGAGE   ◊ STRAPS

◊ CAR SEAT   ◊ PURSE   ◊ WALLET

◊ CHAIR

8

Animals' Young

```
Y N X K C I H C R J V C O
E L Y B O P G R L S E N Y
A F M W I F Z F E V G L V
R A R H C R F W R V L C L
L R D E H Y N D U I L J L
I R H L P F G O F E M E R
N O E P X E O N S Q R J C
G W U Q Z V L C E E L G H
N P N M F T I O K T F I C
E U B Y M O L C P E B Y E
T A Y K M A I U C D T R P
T D G P W P G R O E A A Y
I F O L L Y H G L P R T W
K E O U E T L W O R B R V
S E E X R T O K W T J I C
```

◊ CHICK   ◊ KITTEN   ◊ PICKEREL

◊ CYGNET   ◊ LAMB   ◊ POULT

◊ EAGLET   ◊ MAGGOT   ◊ PUPPY

◊ ELVER   ◊ NYMPH   ◊ TADPOLE

◊ FARROW   ◊ OWLET   ◊ WHELP

◊ FILLY   ◊ PARR   ◊ YEARLING

Happy

```
Y D E T A L E T Y P Z Y M
U F D C D G U X A R S K R
X N O N A F R F K E R R U
L T W W U R Q I R K B E P
U N C O N C E R N E D P M
F O K V R J O F U N E Z U
E T E R I R R J R H I H X
E R E U J J I L Z E H N C
L X Y P H S O E I U E A G
G I F L U C J L D V S K K
L C O N T E N T L A E L E
U O N P R J M V D Y L L E
C Y S D I K B L I T H E Y
K O T Z P M A E H I T D R
Y V A U V T N A Y O U B W
```

◊ BLITHE

◊ BUOYANT

◊ CAREFREE

◊ CHEERFUL

◊ CONTENT

◊ ELATED

◊ GLEEFUL

◊ GRINNING

◊ JOCUND

◊ JOLLY

◊ LIVELY

◊ LUCKY

◊ MERRY

◊ PERKY

◊ SUNNY

◊ UNCON-
   CERNED

◊ UNWORRIED

◊ UPBEAT

Fashion Designers

```
L A N E R U A L B C H J N
V E T I A J C G M R H W V
A O U A S H L E Y A U O J
G G O N A L T J G G R U O
M X A N A S Z W U E W U H
L M E I E M Q P H E C P E
Q L Y M C Z E G N N A L T
I K A D J N A E O S P Q U
C J Y M N L E T X Q U N R
C B U E L B T L P U C R E
I I E A Z I F R A C C P N
R R G R U S A G I B I M Y
G Z A V T D H N K M C X A
I F B E A I L N I E L K R
G Y L K W S N T L F R V Z
```

◊ ASHLEY   ◊ EMANUEL   ◊ MUIR

◊ BALENCIAGA   ◊ GALLAGHER   ◊ PRADA

◊ BEENE   ◊ GREEN   ◊ PUCCI

◊ BERTIN   ◊ JAMES   ◊ RAYNER

◊ CHANEL   ◊ KLEIN   ◊ RICCI

◊ CHOO   ◊ LAUREN   ◊ VUITTON

National Emblems

```
Y N E Z E R I T L A S F H
U Y O U G D L L E I S A Q
Q M F C P L E D O L O E D
N R R F L E U X O H R L R
Q Y H C K A S F D A C E A
B A O B A B F R V D N L P
G T D Y N A M A L L R P O
O V O X P X E P B S E A E
D G D R O S E V J C H M L
L Y E K P U I C I J T Z W
L T N O P R S J A L U T O
U E D X Y N A G I S O U N
B A R Q N E U H E D S L S
K C O R M A H S W T D I H
M W N Q R Z I X K M U P E
```

◊ BAOBAB

◊ BULLDOG

◊ DAHLIA

◊ FALCON

◊ HARP

◊ JAGUAR

◊ LEEK

◊ LLAMA

◊ MAPLE LEAF

◊ OLIVE

◊ POPPY

◊ RHODO-
DENDRON

◊ ROSE

◊ SALTIRE

◊ SHAMROCK

◊ SNOW
LEOPARD

◊ SOUTHERN
CROSS

◊ TULIP

Islands

```
W G U O A A B Y S F L V J
A N Z T N M T R Q N U I N
Q O Z O J V I L E X F R L
G L A S D W M W A Q R J X
X M E O Q O G Q L M O G N
L A O X Y U M Q A V C O C
E U B A I J C O L T I J Y
D G U N O T P J K N F K A
N B E E D T G D U H N Z S
B A L D E R N E Y I O M N
V B R M E Z R Z G R Z M I
A L X N Q W T G E P U K P
X J A W T R I S V A L S A
R D O B N E A D T C O X H
A Y K A K D W F N E N N S
```

◊ ALDERNEY   ◊ EUBOEA   ◊ LUZON

◊ AZORES   ◊ GOZO   ◊ MALTA

◊ CAPRI   ◊ GRENADA   ◊ NAXOS

◊ CORFU   ◊ GUAM   ◊ NEW GUINEA

◊ EIGG   ◊ KOMODO   ◊ REUNION

◊ ELBA   ◊ LONG   ◊ SHAPINSAY

Breakfast

```
N B O T O U M D U V N L B
P E A W A A A L E T I A U
O Y I C C D H W B S W E C
A E L A O E M O E R B M K
C C S T M N R O N A E T V
H I E R Q U T E G E I A E
E U U U H A F E A P Y O D
D J M G M G L F B L E T A
E E U O W S C H I H S J L
G G T Y Y A B P V N J O A
G N F O I E F E W N S I M
G A G R A P E F R U I T R
W R X N E S A I L S J B A
S O S B C Z T T L E E R M
I H O R S E R A D F S O W
```

◊ BACON ◊ HAM ◊ ORANGE JUICE

◊ BAGELS ◊ HONEY

◊ POACHED EGG

◊ BEANS ◊ MARMALADE

◊ BREAD ◊ MUESLI ◊ TOAST

◊ CEREALS ◊ MUFFINS ◊ TOMATOES

◊ GRAPEFRUIT ◊ OATMEAL ◊ WAFFLES

◊ YOGURT

```
M Z W Z A J L R V D D E G
Y M N J R W E Y U E V D R
I R O Y W I P V A U N I S
P C G S E H A T O K P O R
L H N I T B H R K O H R R
O E I O W G C Z R T A D O
A K L W R H E L O R S N T
K O K I C L S G U I E A C
K V P J E B R H D O R V A
L T S O P T U O N J U L F
R K N I S Z N A M L Z N P
W R E T U P M O C U Y F R
D A R C H O N A X M L P A
U Z C A E T N J I M O A W
E L H Y P E R S P A C E N
```

◊ ANDROID   ◊ HYPERSPACE   ◊ PHASER

◊ ARCHON   ◊ KLINGON   ◊ ROMULAN

◊ COMPUTER   ◊ KOLOTH   ◊ UHURA

◊ DEATH GRIP   ◊ MR CHEKOV   ◊ VULCAN

◊ DR NOEL   ◊ NURSE   ◊ WARP
                      CHAPEL   FACTOR

◊ GOTHOS

                  ◊ OUTPOST   ◊ YEOMAN

12 Archery

```
U K J O T G H T B H G G X
I I J O J R F M W B N W V
E S H S E I I E O Q O Z C
F S K C R L R L R R L J M
J E A D R G F T R N M A V
W R D E P A E A H O R M F
B E W V L G D G J K C S O
G O Y F R E N R Q S F O H
L W J A T I R F A P T P E
E E T S D G D O O W P A S
N L E L P S P J E V I F D
O H O R N S L Z W F V N Z
C H R Y S A L I A X M N G
K I U L R G Y S N M A R E
S O L D C D T L S G A R H
```

◊ BRACER

◊ CHESTED ARROW

◊ CHRYSAL

◊ DRAWING

◊ DRIFT

◊ FAST

◊ HOLDING

◊ HORNS

◊ KISSER

◊ LOWER LIMB

◊ MARK

◊ NOCKS

◊ RELEASE

◊ SAP WOOD

◊ SHOT

◊ SLING

◊ TARGET

◊ YEW

Birds

```
Y R M T N E H R O O M Q M
G E W O H V W E J S P C D
M H K O F A P T G T H L E
E C U R R D X R G R C Z T
R T J A U C X A V I P E I
G A Y O C T D D L C Q B K
A C I Y G O Q E J H C D D
N R G F V Q Y C D K A M E
S E B E G O O S E O G K R
E T Q N M G S H K Y O P I
R S O R V A U P E F P H K
R Y R R A Q G H R R K O P
Y O R H K G I P I E O Q Y
T E R G E N F U I R Y N Y
N I B O R A K Y G E Q W F
```

◊ DARTER

◊ DOVE

◊ EGRET

◊ GOOSE

◊ HERON

◊ HOODED CROW

◊ MAGPIE

◊ MERGANSER

◊ MOORHEN

◊ OSPREY

◊ OSTRICH

◊ OYSTER-CATCHER

◊ RED KITE

◊ RHEA

◊ ROBIN

◊ ROOK

◊ STORK

◊ TURKEY

14   **Yellow Things**

```
S E N U D D N A S N G I K
N S D L T O C D E H R B S
E O A R L E R E O I O S U
E B M E A A Y K M C W L C
T C M E T T I Y E B W A O
H E E S L G S H L J I T R
E A U G R W T U X A C E C
S M S H N N V M C S O P H
E T H N O O U U N M P D I
E U Y N T S P M T I I A C
H Z R A T H E S U N L O K
C O I E U U I W L E S W S
C Y R A N A C C I J W I V
X D N B M N I D P D O E E
S P U C R E T T U B C T S
```

◊ BUTTERCUP   ◊ CROCUS   ◊ MUSTARD

◊ CANARY   ◊ CUSTARD   ◊ SAND DUNE

◊ CHEESE   ◊ JASMINE   ◊ SPONGE

◊ CHICKS   ◊ LEMON   ◊ THE SUN

◊ CORN ON THE COB   ◊ MAIZE   ◊ TULIP

◊ MELON   ◊ WOAD PETALS

◊ COWSLIP

```
G E N E R W G A U R U G D
E A D Y L G O R O I G K T
E G G J D I U Y A J G E R
H E A N G D G E A D G E G
C N C L A X I N O D U N B
N G I L L S R G A A Y A E
I E H G Z A H G T E G U L
F K G A L N N G A O L G N
D G S G E Y G T C G G N G
L M R D G E C L R J E I D
O P L E B E T E U Y V M G
G O E P B E E I R M U A P
G V U S M E L G C I L G R
G A R D E N I N G N N Y E
G I G L A C I G O L O E G
```

◊ GADGET   ◊ GIGOT   ◊ GOLDEN

◊ GALLANTRY   ◊ GILLS   ◊ GOLDFINCH

◊ GAMING   ◊ GLUE   ◊ GRADUAL

◊ GARDENING   ◊ GLUMLY   ◊ GREBE

◊ GEOLOGICAL   ◊ GLYCERINE   ◊ GRUEL

◊ GIDDY   ◊ GNASH   ◊ GURU

16   Plan

```
W H I N O D H C T E K S W
M K E S A L U M R O F A M
G A H N T N V I S O Y J E
I P S Y E R U D E C O R P
L L R T I E M A R F M N I
S C L O E N J G E A E R C
Y A F U J R V G E X T U E
S E V J S E M E G W H A R
T Y S I L T C I N L O G O
E E X H X T R T N T D H A
M M J B A A A X D T D D
E E E E I P C G T O N L M
M Z A H J K E M M I T D A
W T C N C U V Y O Q O Z P
E C A R S S O U T L I N E
```

◊ FORMULA   ◊ METHOD   ◊ ROAD MAP

◊ FRAME   ◊ OUTLINE   ◊ SCHEME

◊ ILLUSTRATION   ◊ PATTERN   ◊ SHAPE

◊ INVENT   ◊ PROCEDURE   ◊ SKETCH

◊ MASTERMIND   ◊ PROJECT   ◊ SYSTEM

◊ MEANS   ◊ RECIPE   ◊ WAY

Tractors

```
B W N T E V E W E H N M E
V E R I M H W A L G S E F
X A Y A A S G A R Z Z N A
R X L R S L F I T C H I T
Q J M T E Y M R Y Y I L Y
S W C S R M L T Z V L O T
V A H N E A T E N M E M I
T A A E S Y I C R H P K C
C O K L E K H S R P H D N
A K L L C L G N O J C B I
S U Q I S C H L A B X H W
E B C K V P R O Q G K V T
I O S B A E G F R U U R J
H T K L M Y R M B S X O N
U A D L N N L R S B E X D
```

◊ AIRTEC

◊ BUKH

◊ CASE IH

◊ CLAAS

◊ EAGLE

◊ FITCH

◊ GRIMME

◊ JCB

◊ KILLEN-
STRAIT

◊ KUBOTA

◊ MERLO

◊ MOLINE

◊ OLIVER

◊ SAME

◊ TAFE

◊ TWIN CITY

◊ VALTRA

◊ WHEEL
HORSE

Aromatherapy

```
J  B  N  P  T  I  B  E  C  W  J  E  W
G  H  I  J  L  F  V  T  G  O  A  E  L
E  N  S  O  H  O  I  B  H  R  Q  R  H
E  N  R  G  L  V  O  O  R  R  E  T  L
S  E  G  C  C  Q  L  Z  R  A  H  A  M
N  F  Q  L  D  H  E  N  Y  Y  P  E  U
L  K  V  S  I  J  T  R  M  Y  U  T  I
E  L  K  C  U  S  Y  E  N  O  H  L  N
R  P  L  I  L  E  H  A  X  P  A  U  A
U  Q  J  N  G  I  S  R  N  P  T  N  R
A  M  Y  N  Z  D  U  G  O  M  X  N  E
L  Q  A  A  P  A  T  Q  E  S  V  O  G
O  R  N  M  Q  K  X  G  N  H  E  N  Q
O  S  O  O  D  M  A  N  G  O  G  Y  N
Q  S  Y  N  I  M  E  L  E  P  J  W  M
```

◊ CINNAMON   ◊ JONQUIL   ◊ ORANGE

◊ CLOVE   ◊ LAUREL   ◊ PINE

◊ ELEMI   ◊ MANGO   ◊ TEA TREE

◊ ENGLISH ROSE   ◊ MYRRH   ◊ THYME

◊ NEROLI   ◊ VIOLET

◊ GERANIUM

◊ NUTMEG   ◊ YARROW

◊ HONEY-SUCKLE

Indoor Games

```
E  E  R  A  T  S  A  N  A  C  U  N  A
R  G  X  S  Q  X  K  S  Q  U  A  S  H
I  D  S  K  E  B  F  C  E  V  Z  Z  Q
A  I  S  A  E  L  B  L  A  L  U  G  S
T  R  T  R  X  O  B  I  P  J  F  U  E
I  B  P  M  O  B  T  R  N  X  H  V  D
L  W  G  W  A  U  P  C  A  G  T  R  A
O  S  P  R  V  S  L  U  A  M  O  C  R
S  O  C  E  N  J  N  E  G  T  C  L  A
S  S  H  S  L  U  U  E  T  N  C  W  H
F  E  W  T  K  O  P  X  V  T  F  I  C
L  J  V  L  L  E  T  N  Y  E  E  Y  T
W  G  B  I  L  L  I  A  R  D  S  U  Z
U  I  L  N  F  M  A  H  J  O  N  G  G
E  H  B  G  C  G  N  O  P  G  N  I  P
```

◊ ARM WRESTLING

◊ BILLIARDS

◊ BINGO

◊ BRIDGE

◊ CANASTA

◊ CHARADES

◊ FIVES

◊ JACKS

◊ MAH-JONGG

◊ MARBLES

◊ PELOTA

◊ PING-PONG

◊ ROULETTE

◊ SCRABBLE

◊ SEVENS

◊ SOLITAIRE

◊ SQUASH

◊ TIC TAC TOE

20   **Orchestral Music**

```
C N E E A S T R I C T I O
T O A W N E N A R S O S U
E Y N G R O F I O W G U D
K R I C R G B E S N I E Q
C E F N E O M M I O N U L
A S T O T R T R O O R E N
J O U T O E T C H R A M O
R P C R L S R P U D T G I
E M A M O E O V E D N O S
N O R I B H D R A I N L S
N C E M T S C R N L U O U
I P A I C D K U U H E C C
D H L O C G T J D M R C R
C V R P E T R A C T M I E
E E K S O N A R P O S P P
```

◊ CHAMBER   ◊ INTERVAL   ◊ ROSIN

◊ CHORUS   ◊ KETTLEDRUM   ◊ SCORE

◊ COMPOSER   ◊ LEADER   ◊ SOPRANO

◊ CONCERT   ◊ LITHOPHONE   ◊ STRINGS

◊ CONDUCTOR   ◊ PERCUSSION   ◊ TROMBONE

◊ DINNER   ◊ PICCOLO   ◊ TUNING
  JACKET

Cruising

```
C X L H C M R W R C Z F E
E N G I N E S V I S H X H
E L I N S Z A F E U C N C
H F L R I C I N M U U A W
L E U Y A C D O R H B E Q
C P O T A O O S N X Q G J
U I I P F R I S I N G E R
Z O T F L O C E A N F A E
N P G L N L X D L J B Q T
W B A S A A Q U O I T S P
A B L X Q B I R O Z O I A
V R B P H G D P N P H F C
E B R E Z S S E A S I C K
S N K U Q K G V P U F W D
G N I H T A B N U S T J I
```

◊ AEGEAN   ◊ NILE   ◊ SEND-OFF

◊ BALLROOM   ◊ OCEAN   ◊ SHIP

◊ BALTIC   ◊ PACIFIC   ◊ SINGER

◊ ENGINES   ◊ PURSER   ◊ SINGER

◊ EXCURSIONS   ◊ QUOITS   ◊ SUNBATHING

◊ FJORDS   ◊ SEASICK   ◊ VACATION

◊ WAVES

Shades of Brown

```
T H E T A L O C O H C F Y
U Y Y E P U A T H O D C E
N Y X L Y P A R A Z N D T
L O D T A I S J J W N K A
A C S D P E N P F A N F C
W U O O U E M D S K H Y S
R A N P P M F T S M G Y U
A I S Q P G R N A J A V F
S W K L Q E H A J O L E N
N E H M S B R C V Q F K I
A N N E I S T N R U B Y K
C L D F A L L O W N W D Z
E R Y G O T A O G U Y N N
P C A M E L Q I D A L A A
N W A F X S Z C U E E V V
```

◊ BURNT SIENNA

◊ CAMEL

◊ CHOCOLATE

◊ COPPER

◊ DESERT SAND

◊ FALLOW

◊ FAWN

◊ INFUSCATE

◊ MUDDY

◊ OATMEAL

◊ PECAN

◊ RUSTY

◊ SINOPIA

◊ TAUPE

◊ TAWNY

◊ VANDYKE

◊ WALNUT

◊ WHEAT

Spying

```
E F E I R B E D E Z C O S
U G F B Q I E C T J R R R
M E E T I N G T A Z F M R
Q A C I P O P R R J W U N
D V O N V C O B T A S D Y
E E N N E U L R L S Y Y R
I S O S F L E F I M O A E
F D S R K A I A F E R L L
I R P T S R C S N O I Q B
S O E O E S W A I T S Z M
S P N G Y A X H M R K F A
A W I P N A L R V E Y F R
L R O T I A R T G V R V C
C C M Z C I D L H O N A S
E G A L F U O M A C N U I
```

◊ BETRAYAL ◊ DANGER ◊ RUSSIA

◊ BINOCULARS ◊ DEBRIEF ◊ SCRAMBLER

◊ CAMERA ◊ EAVESDROP ◊ SILENCE

◊ CAMOUFLAGE ◊ INFILTRATE ◊ STEALTH

◊ CLASSIFIED ◊ MEETING ◊ TRAITOR

◊ COVERT ◊ RISKY ◊ TREASON

Landlocked Countries

```
S O N I R A M N A S K X F
I C E Y A N A W S T O B O
Z P M S R A V Z G E E X H
J Z D L K A Z J W D I F T
X E C O B M G B D S O Y O
S A R V L E A N N G H A S
E G Q A N B L Z U E A U E
R T Q K M I O A O H P G L
B J J I W M N V R F U A U
I O Z A B N O B R U Y R L
A N L X F S Z L H E S A U
S A M I O U H T D U G P A
M D A K V U Y Z M O T I L
B X L A A I B M A Z V A N
N J I X O N A J K T W A N
```

◊ BELARUS   ◊ LESOTHO   ◊ PARAGUAY

◊ BHUTAN   ◊ MALAWI   ◊ SAN MARINO

◊ BOLIVIA   ◊ MALI   ◊ SERBIA

◊ BOTSWANA   ◊ MOLDOVA   ◊ SLOVAKIA

◊ HUNGARY   ◊ NEPAL   ◊ ZAMBIA

◊ KOSOVO   ◊ NIGER   ◊ ZIMBABWE

Straits

```
O H E C A T E O X V V A E
K A P L X X S S X B O T W
W E K H S N R S M Q P H F
H Q R G A I W I A N E M Z
W R X C N F E T G O Z A K
A A B C H A P L E R V R N
B T K O O C B A L G G A O
R R C K S E H W L E I K F
N A O O R P C R A K B H P
B T I I T J O H N D R X T
B A N M K N L R Q Y A D E
N G S Q U I A H U G L O U
O G C S Y Y E R H S T V R
M A K C U O J Q T I A E D
M G B D N U S E R O R R H
```

◊ BANGKA   ◊ COOK   ◊ MAGELLAN

◊ BASS   ◊ DOVER   ◊ MENAI

◊ BELLE ISLE ◊ GIBRALTAR   ◊ ORESUND

◊ BERING   ◊ HECATE   ◊ OTRANTO

◊ BOSPORUS   ◊ KARA   ◊ PALK

◊ CANSO   ◊ KERCH   ◊ TARTAR

Collection

```
I  E  P  G  N  I  R  E  H  T  A  G  M
P  I  R  A  Y  E  L  A  S  P  E  W  Y
E  E  I  K  N  C  T  F  U  Y  E  S  T
L  D  R  P  A  O  L  O  O  D  C  U  E
G  H  R  B  L  M  R  U  Z  Y  N  N  I
N  L  U  B  L  G  J  S  S  I  E  D  R
A  Y  O  S  E  S  Y  P  H  T  R  R  A
M  J  P  Y  C  C  M  O  T  L  E  Y  V
E  R  T  E  S  I  D  N  R  D  F  R  Y
L  F  O  L  I  D  R  S  A  E  E  V  A
G  V  P  D  M  E  A  A  N  A  R  W  I
N  T  G  E  R  M  C  M  G  B  P  H  S
I  C  N  M  P  O  N  B  E  B  U  F  A
M  T  I  L  M  H  O  A  R  D  A  T  I
S  N  E  G  A  B  D  E  X  I  M  G  R
```

◊ CLUSTER

◊ GATHERING

◊ GROUP

◊ HOARD

◊ JOB-LOT

◊ MEDLEY

◊ MINGLE-
MANGLE

◊ MISCELLANY

◊ MIXED BAG

◊ MOTLEY

◊ ODDMENTS

◊ POTPOURRI

◊ PREFERENCE

◊ RAGBAG

◊ RANGE

◊ SAMPLE

◊ SUNDRY

◊ VARIETY

Hands

```
J  A  I  N  T  S  S  T  N  I  O  J  V
G  W  D  F  L  Y  H  V  R  I  N  U  E
N  C  E  F  Q  G  M  W  A  V  I  N  G
I  L  A  P  I  A  E  Q  N  R  C  M  I
D  S  C  R  N  C  R  L  E  O  A  G  F
U  D  T  U  R  Z  U  I  H  S  R  N  E
A  K  A  S  R  Y  C  X  T  R  E  I  A
L  L  S  T  I  G  I  D  T  E  S  H  T
P  W  E  I  V  F  N  N  M  G  S  C  J
P  P  L  L  E  X  A  L  G  N  I  T  T
A  E  O  Y  S  N  M  P  G  I  N  U  H
S  K  S  L  N  E  A  I  S  F  G  L  U
N  M  U  L  L  F  I  H  E  L  C  M
O  Y  X  H  M  E  B  B  L  E  A  I  B
X  E  O  S  Y  D  X  W  S  S  S  C  S
```

◊ APPLAUDING   ◊ FISTS   ◊ PALMS

◊ CARESSING   ◊ JOINTS   ◊ POLLEX

◊ CARRYING   ◊ LEFT   ◊ RIGHT

◊ CLUTCHING   ◊ MANICURE   ◊ THENAR

◊ DIGITS   ◊ MANUAL   ◊ THUMBS

◊ FINGERS   ◊ NAILS   ◊ WAVING

28   Ballets

```
L A E S M E R A L D A X V
I I A K J P A O U R I N X
Z A A I A F M V D O W O N
D Y T R R L A N O E B Q A
X N U I T O N F F Y O I O
B H Y D U X O A O L L E M
B Z N R O Q N T W E K R G
L O A I H P A H P S D E N
P N L B C N V P T S N D I
I E H E R Y O Q Y I N A L
T G W R R C I L D E A Y R
V I K I D O V N M Q X A E
D N C F L I O R I Q Z B Y
E D K B A W A G I N E A A
E T T E H C O L C A L L M
```

◊ ANYUTA   ◊ LA BAYADERE   ◊ ONEGIN

◊ BOLERO   ◊ LA CLOCHETTE   ◊ PAQUITA

◊ CARMEN   ◊ RODEO

◊ LA ESMERALDA

◊ CHOUT   ◊ SWAN LAKE

◊ COPPELIA   ◊ MANON   ◊ SYLVIA

◊ FIREBIRD   ◊ MAYERLING   ◊ TOY BOX

◊ ONDINE

```
N I G H T H H Q E W M F A
S S U W D B E C H B A A L
E R J R N C B A A I G F L
M N E E U Q R S T O I W E
O S T T V D K U C L C I R
S K S H S T O W E F A C E
D G R H G I Y C M L L K D
N P I J C I S D E N C E N
A P A E V X N Y H O K D I
H S N L C U E D L O Y J C
S E R V A N T C I G R R O
N B A C L C I Z Q M U S R
E Y I R T J E R K P R R E
S E W W T T S P P P P B S
O P E R A H E C N A D A K
```

◊ CINDERELLA   ◊ HANDSOME   ◊ PALACE

◊ CLOCK   ◊ HARDSHIP   ◊ PRINCE

◊ COACH   ◊ HEARTH   ◊ QUEEN

◊ CRUEL   ◊ HORSE   ◊ SERVANT

◊ DANCE   ◊ MAGICAL   ◊ UGLY
                                          SISTERS

◊ DRESS   ◊ MIDNIGHT

                                                       ◊ WICKED

Narrow Things

```
G  G  D  F  E  P  I  R  T  S  N  I  P
A  L  L  E  Y  W  A  Y  T  R  R  D  Q
B  L  Y  E  S  Q  H  R  M  A  A  H  F
E  P  P  N  N  I  E  Y  N  F  P  I  G
A  E  K  P  G  A  L  L  O  Y  I  E  L
K  B  J  C  K  G  L  L  B  B  E  B  R
T  X  H  Y  E  K  L  N  B  N  R  U  X
A  I  X  B  B  N  W  Y  I  E  M  D  C
L  B  G  M  S  A  E  L  R  W  P  D  L
S  J  D  H  W  G  I  L  J  E  M  U  M
F  R  A  C  T  U  R  E  T  Y  T  M  E
R  L  E  M  E  R  P  E  O  T  J  R  V
D  T  E  C  F  I  O  R  R  X  O  Q  A
B  A  T  E  P  T  K  P  U  I  L  B  T
E  L  D  E  E  N  A  S  E  T  W  B  S
```

◊ ALLEYWAY   ◊ NEEDLE   ◊ STAVE

◊ ARTERY   ◊ PIN STRIPE   ◊ STREAK

◊ BOTTLENECK   ◊ RAPIER   ◊ TAPER

◊ FRACTURE   ◊ RIBBON   ◊ TIGHTROPE

◊ GLEN   ◊ SILL   ◊ TRAIL

◊ LINE   ◊ SLAT   ◊ WIRE

Moons of the Solar System

```
K F S U D A L E C N E S E
V E N U S I L L P M M K C
P C U P I D U V H V Z O J
N H H V J M X M O E I L S
A Y O A C N A I B S Q L A
T V W E R N P T O R A A M
I J A J B O T A S I I H I
T G A N S E N E L X N E M
F V M U O X T E T L C S L
L N A J B M D V L H E J T
L O L O U R E J K S Y N A
Q T T I O L B D N X D S E
P I H C A D I S S E R C S
M R E M K D T E B E Y Q E
T T A H C I N F T G D A O
```

◊ AMALTHEA   ◊ DESDEMONA   ◊ PHOEBE

◊ BIANCA   ◊ ENCELADUS   ◊ SKOLL

◊ CHARON   ◊ JULIET   ◊ TETHYS

◊ CORDELIA   ◊ MIMAS   ◊ TITAN

◊ CRESSIDA   ◊ PALLENE   ◊ TRITON

◊ CUPID   ◊ PHOBOS   ◊ UMBRIEL

32   Farm Animals

```
S V G O S L E N G S Z A I
T N L I M B L R S T A O G
A A S N B S G Z E A R S M
C S K C U D N A J R J X X
S E N A L R M E N Q A I E
R E M L L H A S K D C M U
A C F V S I F P S C E N S
O D G E E S E H T R I R W
B U E S O W S E P L K H S
S T A L L I O N S L Q R C
L L A M A S S B M A L F D
A O G E C U D F T B L S S
S G N I L S O G I W E D P
V A L P A R E Z P W I B T
J M C S S L E R E K C O C
```

◊ BOARS   ◊ DUCKS   ◊ KIDS

◊ BULLS   ◊ EWES   ◊ LAMBS

◊ CALVES   ◊ GANDERS   ◊ LLAMAS

◊ CATS   ◊ GEESE   ◊ RAMS

◊ CHICKENS   ◊ GOATS   ◊ SOWS

◊ COCKERELS   ◊ GOSLINGS   ◊ STALLIONS

Things That Can Be Lost

```
O M W A G E R J E K P B Z
H T D E F V B L D S E B P
Z Z H T N A Z I J A U Y G
S D K G M T F D R I P A S
T O H Q I C H I L T K L C
H R U K U E N U M N V S G
G U A L P G W R S O G C D
I E V C S G E P R I N I G
E E J T K C M E H T A E E
H M U T N E M O M C B S Y
W X Q A E D L S U E U Y M
M I L L R G U E D L N O K
S A W N V I K V M E X D T
B E S N E S T I A P L G A
P J E K T I M L C V X A Q
```

◊ BALANCE   ◊ KEYS   ◊ SOULS

◊ BEARINGS   ◊ LIVES   ◊ TOUCH

◊ CAUSE   ◊ MOMENTUM   ◊ TRACK

◊ ELECTION   ◊ MONEY   ◊ TRIBE

◊ ENTHUSIASM   ◊ NERVE   ◊ WAGER

◊ HEIGHT   ◊ SENSE   ◊ WEIGHT

Scary Stuff

```
P U N D D W E Y K O O P S
B D B O N E V E P E T J Y
G Y P N O T M S R S G L S
N N L S X B I O Q I T E A
I S I S H N L R N S E A D
S H P K I U F O A I O A R
I I E S C R D H O H C L I
A V T H L O G D O D U E E
R E R U I L H R E F Y M W
R R I C V S R S D R H X A
I Y F N E I J A O R Y Q D
A R Y B D F E A R S O M E
H X I W T R C E G Z S D S
T E N G D T C T M E H S D
K N G K G G N I L L I H C
```

◊ BLOODY   ◊ FEARSOME   ◊ SHIVERY

◊ CHILLING   ◊ GHASTLY   ◊ SHOCKING

◊ DEMONIC   ◊ GRISLY   ◊ SHUDDERY

◊ DREADFUL   ◊ HAIR-RAISING   ◊ SINISTER

◊ EERIE   ◊ HORRID   ◊ SPOOKY

◊ EVIL   ◊ PETRIFYING   ◊ WEIRD

```
H A T S I L A E R R U S F
H S T T P U Y G V E U B F
P M A L A A Y L R M P B H
S E Y W I R R U E M A N O
T D N C N F T E O S D C N
I I D C T C Z F P A A J R
L U P C I R A E T M U E M
L M O P N L C R J T E N W
L G L C G T K A V L R T P
I L L U S T R A T I O N N
F A S G V E B O M M N E O
E Z P A P E R N C S X G Y
J E Q A X B K F C O U Q A
P A I K G S W L N J C L R
R D N U O R G E R O F O C
```

◊ ASPECT
◊ CARVING
◊ CRAYON
◊ EASEL
◊ FORE-
   GROUND
◊ FRESCO

◊ GLAZE
◊ ILLUSTRATION
◊ MEDIUM
◊ PAINTING
◊ PAPER
◊ PENCIL

◊ PICTURE
◊ ROCOCO
◊ STILL LIFE
◊ SURREALIST
◊ TEMPERA
◊ WASH

Birds of Prey

```
E A G E L W O Y N W A T L
G A Z E E F R L Y U D A E
E N I R G E R E P A B I N
N Y S G C Z R R G K R U A
O A O D O P A T Z E O R G
C E V P S G R S I T A S U
L E A O P E Z E Y C D J E
A E A G I C G K A B R R N
F D C R L R K R A J U O O
C S R E E E A R X T N D F
U A S M P C N Y L O N N F
H X M Y B O B U J Y E O I
J A S E W B V V X T R C R
L J S L O N I L R E M O G
K W A H N E K C I H C O O
```

◊ BARN OWL

◊ CARACARA

◊ CHICKEN
   HAWK

◊ CONDOR

◊ EAGLE

◊ FALCON

◊ GRIFFON

◊ HARRIER

◊ HOBBY

◊ JAEGER

◊ KESTREL

◊ LAMMER-
   GEIER

◊ MERLIN

◊ OSPREY

◊ PEREGRINE

◊ ROADRUNNER

◊ TAWNY OWL

◊ VULTURE

"ANTI" Words

```
C A M T S I N U M M O C K
C M Q R N P A F E A H M N
B I E H F U N Q I P Q X C
I F T C P E G R Q T T H C
Q P A P U D C K N Y R I W
H D I T E R D A N I T A C
A E R G A S S A S A R P L
Q O R F B S J T T C T A D
N C T O E O F S T E I T N
S A D R Q C D E H R L H O
A T P O I Q T Y E W I E T
Q E C T D O C T S U R T O
D M E N M O C R I E Z I R
D M F V L A T O S R A C P
E X B Z B Z S E E E U T R
```

◊ AIRCRAFT

◊ BACTERIAL

◊ BODY

◊ CHRIST

◊ COMMUNIST

◊ DEPRESSANT

◊ DOTE

◊ EMETIC

◊ HERO

◊ NEUTRON

◊ PATHETIC

◊ PROTON

◊ SEPTIC

◊ STATIC

◊ TANK GUN

◊ THESIS

◊ TRUST

◊ WAR

Stage Plays

```
R S A N I R S D O K S F C
U G X D G U E M E L V Y P
T O O H E N R Y V L S K S
H R Q D I I R B D M I O W
E F A U S I X B H E L E N
C M R N E P Y K S D D Q N
A A A W S S E N N E O O U
R B E C Y L W L S A N P T
E H U K B O R F L M J Y O
T G N K T E L I E Q U U S
A D M R U H T M G N A P M
K C U O Y N A H B P N U A
E O D T N G I F P R O O F
R S F I A T V O N H D T I
X Y Y H S Q U E P Y I K N
```

◊ AGAMEMNON   ◊ GODSPELL   ◊ OUR TOWN

◊ AMADEUS   ◊ HELEN   ◊ PROOF

◊ DON JUAN   ◊ HENRY V   ◊ RUINED

◊ EGMONT   ◊ MACBETH   ◊ THE
                                    CARETAKER

◊ EQUUS   ◊ MEDEA

                                  ◊ THE WEIR

◊ FROGS   ◊ OSLO

                                  ◊ TOP GIRLS

Supermarket Shopping

```
L A R P W U Y O E F E R S
S U H Z G R H C G S C Y R
T E O O E A H F S E U G E
N P Q K Y E D D M N D Y F
E E A K C R R B R I O H F
G B S K Y A I Q R W R D O
R G O S W T N A A A P S M
E U Z E E R K I D F N B T
T N R K T T S L L I T D L
E H S C O L A E S I G N S
D A U P E S E C I O H C K
B N Y S Q V V T I S G L N
N M V E G E T A B L E S E
E E G J S E R V I C E I T
K A N T I B R E A W K D J
```

◊ AISLES

◊ BAKERY

◊ BASKET

◊ BRANDS

◊ CHECKOUT

◊ CHOICES

◊ DAIRY

◊ DELICA-
  TESSEN

◊ DETERGENTS

◊ DRINKS

◊ OFFERS

◊ PRODUCE

◊ REWARDS

◊ SERVICE

◊ SIGNS

◊ TILLS

◊ VEGETABLES

◊ WINES

Gardening

```
S I R N X N S L A T E P L
I F V A C N O V G Z S T E
A E L L I V N I A G U O B
A F A I O F I H N Y O D A
A L E H O V N W E O M Q L
N K I O K A A N J N R M B
T O I O H L O G O V M A C
I G E A S E T M E O O R D
R N F K O G M B R L S G R
R I I K T I K Z O E S U O
H N G S S E P T A M O E R
I U S R D W F E J K L R N
N R E A L X Q L A M B I W
U P T E L U A Z T C V T J
M X P P S E S O R P H E K
```

◊ ANTIRRHINUM ◊ LAWN ◊ PERSIMMON

◊ BLOSSOM ◊ LOVAGE ◊ PETALS

◊ BOUGAIN- ◊ MARGUERITE ◊ PRUNING
  VILLEA

◊ ONION ◊ ROSES

◊ FIGS

◊ PEACH ◊ SOIL

◊ FLAX

◊ PEARS ◊ WEIGELA

◊ LABEL

```
S  E  W  I  F  A  C  E  T  I  O  U  S
C  O  S  A  I  R  O  H  P  U  E  L  U
I  U  M  U  T  R  C  Y  I  E  D  T  O
T  L  Q  E  O  L  E  F  R  A  O  R  N
U  O  A  U  R  H  E  F  U  S  N  A  I
A  J  U  C  N  S  L  N  E  B  O  V  G
N  I  A  R  O  O  A  I  U  F  U  I  A
O  E  O  L  M  V  R  U  A  K  G  O  E
R  T  R  N  O  A  I  D  L  J  A  L  L
E  G  J  I  U  U  L  U  A  T  T  E  O
A  F  D  S  F  E  S  I  Q  I  I  T  O
Y  E  S  U  D  O  W  I  N  E  N  N  O
D  O  L  H  L  H  T  L  E  E  E  E  G
E  N  O  I  T  A  L  U  G  E  R  O  D
A  I  O  U  Q  E  S  L  A  T  I  O  N
```

◊ AERONAUTIC

◊ AUTOFIRE

◊ EQUIVOCAL

◊ EUNOIA

◊ EUPHORIA

◊ FACETIOUS

◊ JAILHOUSE

◊ JALOUSIE

◊ NOUGATINE

◊ OLEAGINOUS

◊ OSSUARIES

◊ REGULATION

◊ SEQUOIA

◊ SOMER-
   SAULTING

◊ TOURMALINE

◊ ULTRAVIOLET

◊ UNAVOIDED

◊ UNORDAINED

42 Islands of Britain

```
P D T D N A L S I Y L O H
Y B I S K O M E R I V Y N
E X R G T S F K S O L E A
Z S E B L L R M C D W N M
R M E X A H O H M M R R F
U S T M A R T I N S U E O
F A B N E B D J Y K G D E
Q N Y H Y W R S Q F G L L
Y D G S N G T O E P R A S
D A O R N T F C W Y B D I
N I C A D S T A G N E S Q
U G S M Q T T E W U S C D
L A E S R E M Y E S R E J
Z N R E V D T T D F Q Q A
Y Q T Y E S N R E U G E Z
```

◊ ALDERNEY ◊ ISLE OF MAN ◊ SANDA

◊ BARDSEY ◊ JERSEY ◊ SKOMER

◊ BROWNSEA ◊ LISMORE ◊ ST AGNES

◊ FURZEY ◊ LUNDY ◊ ST MARTIN'S

◊ GUERNSEY ◊ MERSEA ◊ TIREE

◊ HOLY ISLAND ◊ RAMSEY ◊ TRESCO

Famous Australians

```
W N K S E Y Z R C O F T G
T M N K W I E A J B N Z R
S T A C O E S I I A Z P K
Q U O L R H F P H M E N C
Y Z T G C A L P J A O A B
W G O H F R I C R S W K A
H H S D E L R C W A C I E
S D I N O R E A N I Q D Q
W I N T O N L H B G O M M
W O H E L D A A E K U A V
B A X E N A C G N Y J N R
H K B A E P M L H D K F E
Y X W A D Y B J J U Z H V
O O U G E I F Y L L E K A
C A N O S R E T T A P D L
```

◊ BONNER   ◊ KELLY   ◊ OLIPHANT

◊ CASH   ◊ KIDMAN   ◊ PATTERSON

◊ COWAN   ◊ LAVER   ◊ PEARCE

◊ CROWE   ◊ LAWSON   ◊ SUTHERLAND

◊ GREER   ◊ MABO   ◊ WHITLAM

◊ HELFGOTT   ◊ O'DONAGHUE   ◊ WINTON

44   Italy

```
E P C C O M M R U E A Q I
F M O C I Q E F M P N M H
G Y O L J B P O A Y O C Z
D R A N I O R N E F C Y J
Q N N T T M L O X J N D T
N P N N E E U X M I A U U
A A E O W U C A M B I A S
I R V F R B I E L T Y I C
T H A C L R A E R D D H A
N A R A B B I E R V A D N
A M H A Z V S A E L I G Y
I R L U M I B V F V V N H
H A N H L M S E L P A N O
C P Q O O J Z M P G O I Q
E T M L A I R U G I L R P
```

◊ ANCONA

◊ ARNO

◊ CALABRIA

◊ CHIANTI

◊ ELBA

◊ LIGURIA

◊ LOMBARDY

◊ MILAN

◊ MOLISE

◊ MONTE
CERVINO

◊ NAPLES

◊ PARMA

◊ PIAVE

◊ RAVENNA

◊ ROME

◊ TIBER

◊ TRENTO

◊ TUSCANY

Insurance

```
N E W I N S L Y Z M Q E T
M U G N I D A O L I G R C
E W T H T L A E H A S O A
T T N E S B E U R L Y T R
N R E D N I M E R C U S T
E E D L U P V R I A E E N
M N I E T O K N S O Q V O
E I C W C Z S S K V S N C
S T C Y L U E L S D P I J
R N A R R T S P O R D L S
O O D A S L X U O S E E X
D T N U E P F F N L S O J
N C Y T O R I F H O I E H
E S G C O T J L X U B C S
L E X A S I Z E A B L U Y
```

◊ ACCIDENT

◊ ACTUARY

◊ ASSETS

◊ BONUS

◊ CLAIM

◊ CONTRACT

◊ COVERAGE

◊ ENDORSE-
MENT

◊ HEALTH

◊ INSURANCE

◊ INVESTOR

◊ LOADING

◊ LOSSES

◊ POLICY

◊ PROFITS

◊ REMINDER

◊ RISKS

◊ TONTINE

Words Ending "FUL"

```
L U F L U F D E E N T K G
P L U F E L T T E K R Y U
L L U F S S E R T S I D I
L U D G B O U N T I F U L
U A F L U F U L G R S K E
F L E N U G U E I K D N F
U U U L I F S G Y L E B U
L F F F H S H X U E G E L
A T L T R T A F D V F A S
A C I Z F A M L L E U U A
W A C U E R E U W N L T L
F T L V A F F U L T J I U
U U K H U Y U W U F C F F
L L Y L O M L U O U F U U
L U F J O U F F U L B L L
```

◊ AWFUL ◊ EYEFUL ◊ KETTLEFUL

◊ BEAUTIFUL ◊ FAITHFUL ◊ NEEDFUL

◊ BOUNTIFUL ◊ FRIGHTFUL ◊ NEEDLEFUL

◊ DISTRESSFUL ◊ GUILEFUL ◊ SHAMEFUL

◊ EARFUL ◊ HARMFUL ◊ SINFUL

◊ EVENTFUL ◊ JOYFUL ◊ TACTFUL

```
J  I  W  A  G  A  N  E  M  M  O  N  E
I  K  S  M  P  C  A  U  L  O  J  W  A
K  A  E  K  R  K  A  W  E  Y  U  B  I
I  R  K  E  A  C  E  D  O  M  P  Z  N
N  X  T  T  N  L  S  E  V  I  L  O  O
O  E  T  H  I  H  A  P  Z  H  E  Y  C
L  B  L  R  G  N  Z  L  Z  S  E  S  A
A  A  K  A  E  G  E  A  N  O  A  S  L
S  R  D  C  A  U  A  K  R  S  G  P  K
S  K  Y  E  X  C  Z  A  H  S  F  E  S
E  M  A  G  A  M  E  M  N  O  N  R  N
H  Z  V  H  N  A  X  O  S  N  E  T  E
T  A  T  U  G  Q  C  U  W  K  N  A  H
A  I  Y  P  M  M  E  Q  J  Z  W  A  T
R  U  E  S  J  Z  A  T  R  A  P  S  A
```

◊ AEGEAN   ◊ KNOSSOS   ◊ PLAKA

◊ AEGINA   ◊ LACONIA   ◊ RAKI

◊ AGAMEMNON   ◊ MYCENAE   ◊ SPARTA

◊ ATHENS   ◊ NAXOS   ◊ THESSA-
LONIKI

◊ CRETE   ◊ OLIVES

◊ THRACE

◊ ITHACA   ◊ OUZO

◊ ZEUS

Circus

```
G N I W O R H T R E T A W
S A F E T Y N E T R H M H
O N B A I Q M S E K Z L T
M G E E C E D A R A P M L
E U Q Z K E T P C E W A U
R W H Z E Q P C U T D A A
S N T O T P Q A R E L I S
A Z H B R O A A I T K T R
S C T S I S M R E N S A E
F T G V M P E N T U T I M
M O I W O C T S D X Z C O
D Y U L V S U W A C R N S
Z B I C T R A T F O L E O
P N Q I A S K B W U I Z G
E N W O L C D D E M E S A
```

◊ CLOWN   ◊ PARADE   ◊ TENTS

◊ CROWD   ◊ RIDERS   ◊ TICKET

◊ DOGS   ◊ SAFETY NET   ◊ TRAMPOLINE

◊ FACE PAINT   ◊ SAWDUST   ◊ TRAPEZE

◊ HORSES   ◊ SOMERSAULT   ◊ TREAT

◊ MAKE-UP   ◊ STILTS   ◊ WATER
                                       THROWING

Paris Metro Stations

```
S  M  O  R  E  H  S  E  S  R  U  O  B
N  R  O  M  E  R  G  F  S  J  A  F  O
O  E  E  X  E  L  M  A  N  S  E  L  E
E  S  D  V  E  E  Y  N  L  R  D  L  O
D  I  N  G  J  P  J  U  E  E  L  A  T
O  A  M  I  A  N  O  I  T  A  N  W  H
C  H  B  I  G  R  C  R  G  W  W  A  E
O  C  S  B  R  A  Q  I  U  N  A  D  R
R  A  V  E  L  A  P  U  Z  E  R  E  V
T  L  A  G  R  Q  B  P  I  T  S  J  R
E  E  V  S  H  U  Y  E  I  N  S  J  L
R  R  I  S  E  B  A  O  A  B  E  Y  E
I  E  N  S  C  G  L  J  U  U  Q  T  N
E  P  H  U  Q  J  U  S  S  I  E  U  G
A  T  R  A  S  I  V  R  O  C  H  D  E
```

◊ ANVERS

◊ BOURSE

◊ CORVISART

◊ EDGAR
QUINET

◊ EUROPE

◊ EXELMANS

◊ GLACIERE

◊ JAURES

◊ JUSSIEU

◊ MIRABEAU

◊ NATION

◊ ODEON

◊ PERE
LACHAISE

◊ PIGALLE

◊ RANELAGH

◊ ROME

◊ SEGUR

◊ VAVIN

50   Workplaces

```
O Q B P B X E C V E X K T
C I P A F B Q G Q O D D E
G V D O K U I G R X D L K
M I G U A E D J L O T N R
E N A R T K R O K Y F S A
S E R M Y S O Y R P Q R M
U Y A K E H T E Z O C E R
O A G C C N W A F I B S E
H R E S Y E I F N L M T P
E D H R R R I C E N V A U
R G H B U C D X N E E U S
A N E C E B F N U A F R C
W R W D N J K E U G N A Y
U B P B U A Q F U A D N H
W Y R O T A R O B A L T W
```

◊ BAKERY   ◊ LABORATORY   ◊ SCHOOL

◊ BREWERY   ◊ LAUNDRY   ◊ STUDIO

◊ BUREAU   ◊ OFFICE   ◊ SUPER-
                                        MARKET

◊ CINEMA   ◊ QUARRY

                                       ◊ TANNERY

◊ FORGE   ◊ RANCH

                                       ◊ VINEYARD

◊ GARAGE   ◊ RESTAURANT

                                       ◊ WAREHOUSE

```
D  S  B  B  A  R  E  V  N  E  D  E  U
W  U  F  A  P  P  S  K  I  G  Q  S  L
R  R  N  M  R  B  V  K  R  K  R  L  C
E  T  L  S  S  N  S  L  R  D  U  L  W
L  E  Y  X  T  N  E  N  W  B  J  I  Q
L  E  S  N  I  A  G  S  M  A  R  M  A
E  S  M  S  D  L  B  U  R  E  U  D  L
F  T  A  E  E  A  R  L  I  P  C  O  C
E  R  Y  N  S  T  L  P  E  H  V  E  O
K  T  N  P  U  U  A  L  S  N  A  A  C
C  L  Y  D  O  N  R  J  Y  N  N  D  K
O  D  Y  L  P  G  V  I  F  T  O  O  Q
R  L  E  Q  E  S  E  P  E  N  Y  V  N
U  T  T  P  B  R  W  V  N  R  V  U  U
O  O  T  A  P  W  F  E  B  W  Q  W  K
```

◊ ALCOCK

◊ BARNES

◊ DENVER

◊ DEPP

◊ DONNE

◊ DUNSTABLE

◊ GLENN

◊ KRASINSKI

◊ LE MESURIER

◊ LENNON

◊ LYDON

◊ MILLS

◊ NAPIER

◊ ROCKE-
   FELLER

◊ SURTEES

◊ TRUMBULL

◊ TYLER

◊ TYNDALL

52   **Novelists**

```
T R G E I D H S U R F N E
L E C A R R E A T O L S S
P R E T R O P B R K U G P
I H S R A M T S U O R P V
R A T Q T N T H H W P T S
A R C S I E M E U I U H C
N D R T R O D F P X L Y J
D Y J D F O T L K C L Y N
E T F I W S B Z E H E E T
L A O P Z J O S A T W L Y
L T T L K S N R L O N T X
O L P Z K K R Q B F R A J
F R G N L I X M W N O E M
Z F R O S A E L D R C H V
I F J L H R N N T Z S W Z
```

◊ BOWEN ◊ LE CARRE ◊ PROUST

◊ CORNWELL ◊ LEASOR ◊ RUSHDIE

◊ FORSTER ◊ MANTEL ◊ SWIFT

◊ HARDY ◊ MARSH ◊ TOLKIEN

◊ HARRIS ◊ PIRANDELLO ◊ WHEATLEY

◊ HUXLEY ◊ PORTER ◊ WODEHOUSE

"GOOD" Start

```
D A Y F A X E B W V K N V
A Y G N I L E E F V F A H
D E R U T A N A D E E T W
X H R I M S I Z C Y L P G
K D V P A T U N B A L Y C
B E A P H F E N E A O H Z
N E L X V I G H S Q W G F
R D U F C R D G Y O I U X
E S E S I J X T A U P O G
E B N E A F A O D T N N U
H O F Y I S W K D S I E K
C C S B T S G G L K L Y I
K I O E O J H O O N M J F
F O N B O J N O L C X E U
K L Z Q T Z L D Y D P M E
```

◊ AS GOLD   ◊ ENOUGH   ◊ HEALTH

◊ AS NEW   ◊ FAIRY   ◊ LOOKING

◊ BOOK   ◊ FAITH   ◊ NATURED

◊ CHEER   ◊ FEELING   ◊ OLD DAYS

◊ CONSCIENCE   ◊ FELLOW   ◊ TASTE

◊ DEEDS   ◊ GRIEF   ◊ VALUE

Hard to See

```
O A J Z U E P V U H G I P
S C S U O L U B E N Y L R
Q V K U X P S G I O K L G
R H E M A M A S A V R D L
A A R B O Y U Q F V U E G
L Z M K Q F D E U A M F O
U Y Y U N H O D L E I I U
H N T O M U L J U A C N U
N C C L O U D E D M P E T
I U U L U Q Z F A D E D B
O C A O E K F N H T H Y Y
N Q S Z I A I O K L A K S
D J D E T L R N G R N S I
Y M O O L G S Z C G A U S
U C G O T C F Q T I Y D P
```

◊ CLOUDED ◊ FOGGY ◊ NEBULOUS

◊ CONFUSING ◊ GLOOMY ◊ OPAQUE

◊ DARK ◊ HAZY ◊ PALE

◊ DUSKY ◊ ILL-DEFINED ◊ SMOKY

◊ FADED ◊ MUDDY ◊ UNCLEAR

◊ FAINT ◊ MURKY ◊ VAGUE

Ready

```
W E L L S D E S O P S I D
E J A O E O D B R A C E D
L V W S E E T D R R G U Q
A B I A A I I R A E N S N
A O G E M P A M K O I Z C
P E A E A N L H T R N T F
R E L R G L E K I O R W X
F Y R E I G S F I X E D J
P J D C V G B P L Q C H K
T R D T E Q G U E D S C T
O T I P C P N E O E I R P
O E Z M P K T N D U D A E
S U J O E E E I Q O P Y N
D E Q R F D D R V Y U L E
E J T P U D E R A E G T E
```

◊ ARRANGED   ◊ FIXED   ◊ QUICK

◊ BRACED   ◊ GEARED UP   ◊ RAPID

◊ DISCERNING   ◊ PERCEPTIVE   ◊ RIGGED OUT

◊ DISPOSED   ◊ POISED   ◊ SET

◊ DONE   ◊ PRIMED   ◊ SPEEDY

◊ EAGER   ◊ PROMPT   ◊ TIMELY

Fast Food

```
F E Z I S R E P U S C W G
P M N N V V I R T M Z G M
I O G J O C H O I K T K N
E Q T K K T K H F Y L E F
L B T L E C R S Q J X T S
B C E V P X E A S O V C E
U S I C L C X E C T O H L
O R H A U A O O A M Y U B
D K L A G T U T B E C P A
W F S S A N T O S Y I Y T
S O K M T Z M E V J T T F
A L O E X E E L L X S R U
L T R A A H W H O M A A A
A O I L C Q X R C R L P G
D F S H E A T L A M P I V
```

◊ CARTON   ◊ HEAT LAMP   ◊ PLASTIC

◊ CHEESE   ◊ KETCHUP   ◊ SALAD

◊ COMBO   ◊ LETTUCE   ◊ SAUCES

◊ COUNTER   ◊ MEALS   ◊ SUPERSIZE

◊ DOUBLE   ◊ PARTY   ◊ TABLES

◊ DRIVE-THRU   ◊ PICKLES   ◊ TOMATOES

```
S R E V R E S R R F E J B
P M S V B H O F E P H E I
F A M N B Q P R D D C I E
D I G O O R T E L L A U X
R I L Z D C O E O I C E I
O K R E S E I W F I P A H
T Q D E T F M A S E I S B
I D A E C R Y R Q E R D P
D B O Y K T A E E E R E H
E L L E U Z O N F L T E R
L O P P S Z R R S P X F A
M G U P X E E K Y F Q S S
T S U K X S D S O O E S E
H L V E H R U O H L R R Y
W A U Q N K S M C R Y D J
```

◊ BLOGS

◊ BROWSER

◊ CACHE

◊ CODES

◊ DIRECTORY

◊ FIELD

◊ FILE TRANSFER

◊ FOLDER

◊ FREEWARE

◊ HEADER

◊ HTML EDITOR

◊ ICONS

◊ MODEM

◊ PHRASE

◊ REFRESH

◊ RSS FEEDS

◊ SERVERS

◊ UPLOAD

Indian Towns and Cities

```
A R U P H D O J A U R R M
F A R I N A E M L V U E A
B L A D L L U Y U P E T L
J A J S P M L E D R A M E
G Y R U B L N E U L D T G
A J N A I D H T I V L G A
R E I E B S S P O A K F O
I R R B M A A T P E G J N
D A U A H R N O K R R O I
B X J P A N H K O O E B T
S D G M Z B P J I D C M F
U Z B D F E A A W N H H E
R A S C H C T R E I E R I
A E E G P A N A J I O R X
T J A I S N A H J O L S A
```

◊ BARABANKI   ◊ JODHPUR   ◊ PATNA

◊ BAREILLY   ◊ KOCHI   ◊ PUNE

◊ BHOPAL   ◊ MALEGAON   ◊ RAJKOT

◊ INDORE   ◊ MEERUT   ◊ SURAT

◊ JAMSHEDPUR   ◊ MUMBAI   ◊ TALIPARAMBA

◊ JHANSI   ◊ PANAJI   ◊ TEZPUR

Sustainable Energy 59

```
R  E  N  E  W  A  B  L  E  J  P  F  E
E  V  B  E  A  S  T  U  V  J  L  W  L
T  X  G  A  M  B  X  E  F  N  U  X  I
E  N  P  A  T  U  S  S  D  H  T  L  A
M  M  D  X  A  T  L  E  U  F  O  M  R
G  D  X  Q  O  A  E  Y  D  N  N  H  W
L  C  N  R  D  N  U  R  A  N  I  U  M
P  L  A  A  G  E  S  H  Y  I  U  X  G
T  G  E  N  M  Q  T  H  N  W  M  A  A
E  N  U  C  L  E  A  R  W  A  S  T  E
B  Q  F  V  L  F  D  B  I  O  G  A  S
B  I  O  F  U  E  L  O  H  C  V  S  U
D  V  D  D  R  U  U  O  F  L  R  Y  G
A  K  S  T  R  L  L  F  Q  W  M  X  O
I  M  S  O  L  A  R  C  E  L  L  Z  T
```

◊ BATTERY ◊ ETHANOL ◊ PLUTONIUM

◊ BIOFUEL ◊ FUEL CELL ◊ RAIL

◊ BIOGAS ◊ FUEL TAX ◊ RENEWABLE

◊ BUTANE ◊ GASOHOL ◊ SOLAR CELL

◊ DAMS ◊ METER ◊ STORAGE

◊ DEMAND ◊ NUCLEAR ◊ URANIUM
WASTE

James Bond – Women

```
S A L H A D I B I B B Y E
M A Y D A Y O V W Z C R N
O A Q G M N A A T N I F I
O Z J M I N I E A M R R R
M Q M T E L D N O H L K E
C I A S I R Q A S U S A V
M N S N F H N O P O G R E
A A E S V K L E L C M A S
N Y H H T I L A O T A M J
U I N G T A N X R O G I A
E E S A M G R C V P D L V
L V I O E S E O M U A O B
A R R E P M U H T S V V F
E A A Y F M S K N S G Y G
Y O V E S P E R L Y N D T
```

◊ BIBI DAHL   ◊ MAY DAY   ◊ SOLANGE

◊ BONITA   ◊ MISS TARO   ◊ SOLITAIRE

◊ KARA MILOVY   ◊ NANCY   ◊ THUMPER

◊ LUPE LAMORA   ◊ NAOMI   ◊ VANESSA

◊ MAGDA   ◊ OCTOPUSSY   ◊ VESPER LYND

◊ MANUELA   ◊ SEVERINE   ◊ WAI LIN

```
P  I  R  T  T  N  A  S  A  E  L  P  S
B  E  S  E  E  I  N  G  Y  O  U  A  W
F  C  I  B  A  G  O  O  D  B  Y  E  H
S  E  N  D  O  F  F  O  B  O  F  C  L
H  G  F  F  C  N  B  V  N  C  T  E  F
H  O  V  R  F  C  V  A  X  A  Z  A  F
A  I  V  E  B  O  R  O  P  Y  R  A  O
U  N  L  Y  G  A  G  S  Y  E  Z  I  L
R  G  E  B  Y  O  E  N  W  A  R  T  G
E  A  A  E  C  D  D  E  I  E  G  K  N
V  W  V  Y  O  U  L  S  E  T  A  E  O
O  A  I  B  N  L  W  H  P  U  T  D  L
I  Y  N  B  W  H  C  L  M  E  W  E  O
R  I  G  E  R  U  T  R  A  P  E  D  S
V  J  T  O  O  D  L  E  O  O  C  D  I
```

◊ AU REVOIR

◊ BE SEEING YOU

◊ BON VOYAGE

◊ BYE-BYE

◊ CHEERIO

◊ DEPARTURE

◊ DESPATCH

◊ FAREWELL

◊ GODSPEED

◊ GOING AWAY

◊ GOODBYE

◊ LEAVING

◊ PLEASANT TRIP

◊ SAYONARA

◊ SEND-OFF

◊ SETTING OFF

◊ SO LONG

◊ TOODLE-OO

62   Garden Pond

```
A N B W A R P U N E P S R
J J O G X L R R P R S S E
S T W E N R U J A V E J N
G R K T U G X C S L T C I
R O I O B T I R T O R T L
A V L A V O A E O Y Y H E
V A L D K F E T A C L I S
E L Q S E B I L S L K J O
L V S J N N R I A U W S H
D E A Y S E O F J M O F W
I S M E D T R R O H N W L
Q P C N Z E O A F U N L U
H T U V T X D N A E I A A
S U G A Y L F L E S M A D
A V W G E U U N F S D K D
```

◊ BEETLES   ◊ KOI CARP   ◊ STATUE

◊ DAMSELFLY   ◊ LINER   ◊ STONES

◊ FILTER   ◊ MINNOW   ◊ TOADS

◊ GOLDEN   ◊ NEWTS   ◊ UNDERLAY
  ORFE

              ◊ NYMPH   ◊ VALVES

◊ GRAVEL

              ◊ ROCKS   ◊ WATERFALL

◊ INSECTS

Classical Musicians

```
T T Q F U Y S K S A G H I
N S W E F L K B C S C P C
W F V I Y H A S H P H O G
T I V E L L F A I E P I C
X S N L S L U M F A L H N
O C A O Y S I C F E M R A
D H M S E N S A L K E I V
R E T R O S T S M T D N D
S R U C W E A H S S Y L M
E U G F D B R K L A U V Z
D U H A P A K E S O H B I
U W J A N S E N G S B T J
P G M A Y E R A E N L H A
R D Y O J D V Z I O N J G
E X Y Q X P R Y S H K V A
```

◊ ASHKENAZY   ◊ GUTMAN   ◊ PAHUD

◊ BALSOM   ◊ HAUSER   ◊ SCHIFF

◊ DU PRE   ◊ JANSEN   ◊ SOLTI

◊ FISCHER   ◊ LEVIT   ◊ STARKER

◊ GILELS   ◊ MAISKY   ◊ STERN

◊ GOULD   ◊ MAYER   ◊ WILLIAMS

64   Paper Types

```
V E L U C G Y E S P E T T
D E X A W R I S N P R V M
W A S H I H E O M S W E N
G Z W L B Y B P V I F R B
N X H X W R U E E Y L A D
I T I H A K E U N A L F E
K I T C H E N I N L A W G
A X E C U D K R O S W G R
B D R Z B S W T E K A N E
X T L R N B B K N T C I E
S S O O T E K R E I L T N
V W I I B B E L I N F I E
N N B O E D I M O R B R F
O K R F J O O L E I S W O
S C A D T R A D I T I O N
```

◊ BAKING   ◊ FILTER   ◊ TOILET

◊ BALLOT   ◊ FLIMSY   ◊ WALL

◊ BROMIDE   ◊ GREEN   ◊ WASHI

◊ BROWN   ◊ KITCHEN   ◊ WAXED

◊ CARBON   ◊ NEWS   ◊ WHITE

◊ CREPE   ◊ ONIONSKIN   ◊ WRITING

Short Words

```
E F V S T R O H S T U C C
C U R T A I L E D H G T S
B J H Z E O Y S V J A U Y
C R I S P I B T C N O R V
N G R U F F N R T E X Q P
N E D D U S C C T L R Y T
T D V F H U Y R I L Z C J
T T Q Q R O U H A S E J Y
E J P S V O C C T R I P Z
F X O U C T O K I I P V I
Q R N S R N M D H A P L E
Y J I F I B P B N R P C G
R D R C K L A S C A N T Y
Z X L E S U C C I N C T D
H Z G Z X L T L R B F P R
```

◊ ABRUPT

◊ COMPACT

◊ CRISP

◊ CURSORY

◊ CURTAILED

◊ CUT SHORT

◊ DIRECT

◊ DISCOUR-
 TEOUS

◊ GRUFF

◊ INCISIVE

◊ LACONIC

◊ PITHY

◊ SCANTY

◊ SHARP

◊ SNAPPY

◊ SUCCINCT

◊ SUDDEN

◊ TERSE

"F" Words

```
F U N A S D Y F F U L F R
F E T A L U M R O F F N Y
F E R M E N T I N G O E Z
L Z M I D A F P P I F E Z
I A P U F L U T T E R U I
I J V I R F Y A T A I F R
F E L I L F C P N F D U F
R L U F T I F A I B A F C
L E A C R S E F L G Y F A
Y I R B C B E H F J I F S
G A A S G F T F S N A F E
G F G T R Y F I A E E I F
O R F A N A V L F E R D A
F E N I C A L M F R E F H
F K F E X Y F E A R I N G
```

◊ FABRICATION   ◊ FINALLY   ◊ FOGGY

◊ FANTAIL   ◊ FITFUL   ◊ FORMULATE

◊ FEARING   ◊ FIX   ◊ FRANK

◊ FEMUR   ◊ FLINT   ◊ FRESH

◊ FERMENTING   ◊ FLUFFY   ◊ FRIDAY

◊ FESTIVAL   ◊ FLUTTER   ◊ FRIZZY

Capital Cities of Europe

```
D R E C F L I B N N E L A
R E U T L N F H M R I C K
H C G V B R E Y E S I S Y
S C A E L L B Y B R N S N
P N R S S O K O O I S J E
M N P I L J N G M W R J G
E Z N A A E D D Z B M R A
A K B V N O S U O F P G H
I I I E P N D S B N E I N
D K F A L A E A U L R Z E
Y J R O V G T I E R I U P
P I R W S H R J V J B N O
S C O P E N H A G A N S C
Q T G N V D I R D A M G J
F C S S P B S U M E S O E
```

◊ ATHENS   ◊ HELSINKI   ◊ PODGORICA

◊ BELGRADE   ◊ LISBON   ◊ PRAGUE

◊ BERNE   ◊ LONDON   ◊ REYKJAVIK

◊ BRUSSELS   ◊ MADRID   ◊ SOFIA

◊ COPENHAGEN   ◊ MINSK   ◊ VADUZ

◊ DUBLIN   ◊ PARIS   ◊ VIENNA

68   Motorcycle Manufacturers

```
W  B  I  G  Y  P  S  O  C  N  T  T  I
H  H  N  W  B  A  E  T  X  D  C  D  A
B  A  A  U  G  B  R  I  T  T  E  N  I
L  E  E  S  M  P  H  T  D  J  I  F  L
J  L  A  I  B  A  P  A  K  T  R  O  I
L  G  G  S  T  A  T  N  A  L  R  J  R
A  G  E  E  S  E  L  C  O  A  K  P  P
F  H  E  J  W  O  U  L  H  R  B  M  A
Z  H  A  H  T  D  H  T  E  L  T  W  S
C  L  C  M  C  R  C  S  A  N  E  O  U
G  E  A  W  A  R  I  V  S  F  A  S  N
R  I  D  L  E  Y  E  U  G  O  R  Z  S
V  I  C  T  O  R  Y  M  M  M  B  A  X
L  Z  K  A  D  N  O  H  O  P  M  N  F
Y  W  K  A  P  R  A  L  I  A  H  U  T
```

◊ APRILIA   ◊ GAS GAS   ◊ RIDLEY

◊ BOSS HOSS   ◊ HONDA   ◊ TITAN

◊ BRITTEN   ◊ LAVERDA   ◊ TRIUMPH

◊ BUELL   ◊ MATCHLESS   ◊ VICTORY

◊ CHEETAH   ◊ MERCH   ◊ YAMAHA

◊ DUCATI   ◊ NORTON   ◊ ZANELLA

"MAIN" Words

```
P  I  H  P  Q  Z  E  C  W  E  M  B  F
O  U  B  D  I  A  G  O  N  A  L  V  I
S  P  R  I  N  G  D  R  O  C  L  W  S
T  Z  A  P  K  E  U  E  T  V  R  C  C
V  E  C  S  O  F  F  I  C  E  E  G  T
L  A  E  L  I  S  U  P  X  K  T  S  K
B  I  D  H  C  V  E  M  D  X  A  B  D
A  D  N  E  S  F  E  O  J  M  W  R  F
K  U  G  E  L  T  L  X  P  F  A  M  A
L  O  U  T  S  E  K  R  M  Y  J  C  Y
X  X  Z  A  Z  O  C  D  A  I  G  A  J
J  S  E  W  E  R  N  T  E  Q  T  V  W
Y  W  C  Q  B  A  N  K  R  S  C  P  Z
E  S  U  A  L  C  I  I  T  I  E  C  B
K  L  E  V  R  O  A  D  S  N  C  Y  V
```

◊ BRACE   ◊ LINES   ◊ SHEET

◊ CLAUSE   ◊ MAST   ◊ SPRING

◊ DECK   ◊ OFFICE   ◊ STAY

◊ DIAGONAL   ◊ PURPOSE   ◊ STREAM

◊ ELECTRIC   ◊ ROADS   ◊ WATER

◊ LAND   ◊ SEWER   ◊ YARD

```
D U K C A R I S M A N E L
N J E Y T N I L F Z D E B
O N E A G X G G U E S J T
M F F L U G U N T U O T S
A R W L N R F A I J M Z E
I O G I F E C O K Y Y H L
D N R B E I G Y Y K R N B
R I G L L X R O C K Y T A
T I I P E O B I V V V A R
Y N M Y B K R L T T H U U
G O I M L T A I R P Y S D
C T U S C E V I G N T T T
I N E E B I E N O I M E N
H E A V Y T J T F L D R O
R I Y S T Y S F S S C E C
```

◊ AUSTERE ◊ HEAVY ◊ STONY

◊ BRAVE ◊ NUMB ◊ STOUT

◊ COMPLI-CATED ◊ RIGID ◊ TIRING

◊ ROCKY ◊ TRICKY

◊ DIAMOND ◊ STEELY ◊ TRYING

◊ DURABLE ◊ STIFF ◊ UNFEELING

◊ FLINTY

Dams

```
S F L E L F G O S A C Y D
Z D U L M C Q H O W T Z K
L T E T Y T C C M I R B A
H I F N I N I S N X H M N
N U A G I R B I V A K O A
A D N T U S R R K L D H T
W E A G W T P R I R Q A G
S R N C R O A E O A F L N
A I L O S Y L G R X N E O
H N S U S A H L O R G N L
G E M D Z S Z O E K O Z E
I R P L B Z O R R Y G N Q
H P D W V R O M E S G L Z
E Y O S K A O N E V E S E
Z B Q V J Y Q J E X G F D
```

◊ BHAKRA

◊ DENIS-
  PERRON

◊ DERINER

◊ EMOSSON

◊ GORDON

◊ HIGH ASWAN

◊ HUNGRY
  HORSE

◊ INGURI

◊ LAXIWA

◊ LLYN BRIANNE

◊ LONGTAN

◊ LUZZONE

◊ MOHALE

◊ SEVEN OAKS

◊ TIGNES

◊ TRINITY

◊ VERZASCA

◊ YELLOWTAIL

Setting a Table

```
V E R B V T O R E P P E P
E A T U L K E T C H U P S
Z N W A N O O P S A E T T
D E S D B L A Y E R J S N
N E F G P L A C E M A T E
E A S I S R E W O L F T M
D L P S N V P C U J S R I
R S T K E K I V L C R P D
A O N T I R E N W O F U N
T U K B O N T K E O T W O
S P N G L B A P A G H H C
U B I O A D E J L C A Y O
M O V M D G P N X A S R T
W W E G L V K Z I M T X E
X L S N E E R U T W P E S
```

◊ CAKE KNIFE   ◊ LADLE   ◊ SOUP BOWL

◊ CONDIMENTS   ◊ MUSTARD   ◊ TABLECLOTH

◊ DESSERT   ◊ NAPKIN   ◊ TEASPOON
  PLATE
                    ◊ PEPPER   ◊ TUREEN
◊ FLOWERS
                    ◊ PLACE MAT   ◊ VINEGAR
◊ KETCHUP
                    ◊ SALT   ◊ WINE BOTTLE
◊ KNIVES
```
```

Confused

73

```
O C D X Z Y T H G I L F V
D L W K D X L M K H R U K
G T W I T E M J L O S T D
C I T O A H C Y E Z W E C
P N O B B E D A Z Z L E D
U T U U G D A D P T I A Y
D P T V I Y W L T N B E W
E J O G G W D E A E P I D
X G F G M E S F M O T J Y
I L O I L N L U D L X T P
M R R D U A S R E B N Y L
G F D E P E N S Z Z Z E R
X A E Z D M S T W Z Y O D
F A R A W A Y Q I U Q B K
Y M F D T R M D T F U S J
```

◊ ADDLED

◊ BEDAZZLED

◊ BEMUSED

◊ CHAOTIC

◊ DAZED

◊ DIZZY

◊ DOPEY

◊ FAR AWAY

◊ FLIGHTY

◊ GIDDY

◊ GROGGY

◊ IN A FLAP

◊ LOST

◊ MIXED UP

◊ OUT OF
  ORDER

◊ UNSETTLED

◊ UNTIDY

◊ WITLESS

74 **"IF" and "BUT"**

```
I F A S B U T I F E R C T
B E C P B U I F B U T I Y
D U B U T U I F F O I F R
E K T X B B T F I L R I A
I N G T U B I V T E A C T
F I Y T E R Q U W L F A U
I F L L E R B O E F I P B
T E B H T K L F H T T J I
R R S A C F F S F T U B R
E F U A I I I C T I B B T
C I S L E L U W O U U R F
E K U W Z W I M S O B Q I
D A C I F G I F B U T E R
C Y F I T A E B F U R K D
P E F I W D I M B T U B A
```

◊ ADRIFT   ◊ CAULIFLOWER   ◊ PACIFIC

◊ AIRLIFT   ◊ CERTIFIED   ◊ QUIFF

◊ BAILIFF   ◊ DEBUTS   ◊ SACKBUT

◊ BEATIFY   ◊ EIFFEL   ◊ SHERIFF

◊ BUTLER   ◊ KNIFE   ◊ SWIFTLY

◊ BUTTER   ◊ MIDWIFE   ◊ TRIBUTARY

Red Things

75

```
P U H C T E K X Y I X E Z
L E G U O R G B A E Q Z L
A F P N S G U A O N W N T
R L S P Q R N S T E U T H
O A X E E O W M A J U D G
C T A C I R X B M P C D I
Y E Q P D B T T O F O W L
G R M U P R P H T O R K C
G A R Z A L O L L E U C I
C L Q E U Q E B T P M I F
B C H M B K E S Y A A T F
D G S E I N B B O R T S A
P O P P Y O A P R G P P R
U X O Z L J O R G M N I T
R R E U F Y T Z C I I L Q
```

◊ APPLE

◊ BLOOD

◊ CAMPION

◊ CLARET

◊ CORAL

◊ CRANBERRY

◊ GRAPE

◊ HEART

◊ KETCHUP

◊ LIPSTICK

◊ LOBSTER

◊ PEPPER

◊ PLUMS

◊ POPPY

◊ ROUGE

◊ RUBY

◊ TOMATO

◊ TRAFFIC
LIGHT

"E" Words

```
E X N O I T A C O R B M E
C E E L E K J E E N L E X
T E X G L E X I T E O J T
O E E I A L G M N L E R O
P X E M T H S E I F Y T R
L P S E T S E S L Z S O T
A E D H C E R E R G S G D
S L U E T A P I C N A M E
M K I G Y G E Q W E P E J
E L L N G D N N K Q M U E
V Q O E U B O I I H O G L
E B E T F E N L T G C S T
E O E B M G H T Q A N H E
H H T N E I L L U B E E E
E S S S O B M E S E E P E
```

◊ EAGLE   ◊ EKING   ◊ ENGINE

◊ EATING   ◊ ELKS   ◊ EPEES

◊ EBONY   ◊ EMANCIPATE   ◊ ETUDE

◊ EBULLIENT   ◊ EMBOSS   ◊ EXITS

◊ ECTOPLASM   ◊ EMBRO-   ◊ EXPEL
                    CATION

◊ EIGHTH   ◊ EXTORT

                 ◊ ENCOMPASS

```
D J V Y W G C G D W E Z P
C M Q N S A J A E Y G R X
U Y Y T C K B H I M E N Z
S C A L E S R E A D I N G
W R C B J V D A I K O N T
S H D E P E H C R H S Z I
M P Y O D T T M W C E W C
S K Y Q R I P V S H H M H
T Z T A O I X C O E S E A
E R E N S F O U E P I O R
N Q E C L R S L M S F N T
A D E T P E V X F Q P M W
L S C I A M P M E B Q P I
P U O E K W Z V I R S O N
D X H E E V O G R I V P S
```

◊ ARCHER   ◊ PISCES   ◊ STARS

◊ CHART   ◊ PLANETS   ◊ TWINS

◊ EARTH   ◊ PREDICTION   ◊ VIRGO

◊ FISHES   ◊ READING   ◊ WATER

◊ GEMINI   ◊ SCALES   ◊ WHEEL

◊ HOUSE   ◊ SCORPIO   ◊ ZODIAC

Coats

```
L W F T L N P P R T H A U
K G C C E O F E P U E S T
A A F J Q K D L P X R Y E
T S R Z E I C O D E U B K
C P P O N R N A T D S O N
F O N G N C K A J O O D A
J R O Z H A E I A Q S Y L
W T O O Z H R F N M N W B
E S S V C A G O U L E A A
K C F D E H Q D W J B R T
Q Z N S A R E Z A L B M O
G I C N L J C S M O J E C
W G K N O S U O L B E R I
P R E F E E R K A O L C D
D T M M A C K I N T O S H
```

◊ AFGHAN   ◊ CAGOULE   ◊ PONCHO

◊ ANORAK   ◊ CLOAK   ◊ REDINGOTE

◊ BLANKET   ◊ JACKET   ◊ REEFER

◊ BLAZER   ◊ JERKIN   ◊ SPORTS

◊ BLOUSON   ◊ MACKINTOSH   ◊ TUXEDO

◊ BODY   ◊ OVERCOAT   ◊ WIND-
  WARMER   CHEATER

Sharp Objects

```
D S Y Y F S T L A L T U P
C R Y X X X T F Y T O M K
M A I I Z D E N O Y O C D
T E P L K N A R I D T L P
U H Z E L S E N R O H A V
Y S G F B L U O N Q P W D
L P L I T O W T Q K I S M
J U C N B S E Y T A C F K
E R A K E N T Q X I K A Q
D S H B O L U Y M G X Z T
A U R Y R X D I X N H Q M
L A A D D V T E A R R O T
B B H Y N A T R E H L Q E
A A P A R Y H S E N I P S
P T E C N A L A U K O F X
```

◊ ANTLER   ◊ KNIFE   ◊ SPINES

◊ BARB   ◊ LANCET   ◊ SPURS

◊ BAYONET   ◊ NEEDLE   ◊ SWORD

◊ BLADE   ◊ POINTS   ◊ TACK

◊ CLAWS   ◊ SCIMITAR   ◊ TOOTHPICK

◊ DRILL   ◊ SHEARS   ◊ TUSK

80   Stormy Weather

```
A L Q B W H T R U Y N Y Q
R H A I L S T O R M Z Y M
J M N R D L M G H E D I Q
D D O U U E S I E E Y U D
Y C Q N D L L R X M A N K
E B L Q S R B U G Q T V O
L S C O J O R A G I N G Y
Z M R I U G O G A E E L Q
Z X S E S D Y N L V R S L
I N R Y W Q B T E O R Y X
R Z G O T O U U S N O N J
D Y T S U G H A R I T M S
R Q Q I H G F S L S M T Y
Y R E D N U H T Y L T N S
X P C N H D R D F A Y K V
```

◊ BREEZY   ◊ GUSTY   ◊ ROUGH

◊ CLOUDBURST   ◊ HAILSTORM   ◊ SHOWERS

◊ DELUGE   ◊ HEAVY   ◊ SQUALLY

◊ DRIZZLE   ◊ MISTY   ◊ THUNDERY

◊ GALES   ◊ MONSOON   ◊ TORRENT

◊ GLOOMY   ◊ RAGING   ◊ WINDY

Coal Mining

```
N E I R E T A W I M T N Z
R I X X V N T E L A R M Q
A Z O P R O O F B E A M A
R G L J L T P I A H V T G
I O K S X O V R N H S E A
S G T B N U S T J U S B L
R P I C U I N I O S R D L
E N A H E E E N V R D H E
N C G U D P I V W E Q O R
I T H I T M S Z Q B S I Y
M B C C U A M N C M G S T
H C V T N H L Y I I W T E
A A I C N E N A H T E M F
P B R Q E K B H R F Q G A
J C K Z L E J U I M R G S
```

◊ ACCIDENT   ◊ INSPECTOR   ◊ SHAFT

◊ BENCH   ◊ LEVEL   ◊ TIMBER

◊ BITUMINOUS   ◊ METHANE   ◊ TUNNEL

◊ EXPLOSIVES   ◊ MINERS   ◊ UNION

◊ GALLERY   ◊ ROOF BEAM   ◊ VEINS

◊ HOIST   ◊ SAFETY   ◊ WATER

82   Things We Love

```
E T A L O C O H C N P W J
B D T M I C J U T U H W S
G U L Y R E S T Z F Z J L
M G T N O I C Z Q C K E L
C N F T S L L A H E Y L E
I I R Q E E D I R N D L B
S C I T S R L M N O P Y H
U N E E I D F A O O L X G
M A D Z R U R L E V Q S I
I D O E R G R T I D I Q E
E T N F J X R F T E D E L
L Y I E A Y Z W K C S C S
S G O D T O H I N P U K H
G B N V F G N I H G U A L
D C S H C A E B E H T I B
```

◊ BUTTERFLIES   ◊ FRUIT   ◊ OLD MOVIES

◊ CAROLS   ◊ GRANNY   ◊ POETRY

◊ CHILDREN   ◊ HOT DOGS   ◊ PUZZLES

◊ CHOCOLATE   ◊ JELLY   ◊ ROSES

◊ DANCING   ◊ LAUGHING   ◊ SLEIGH BELLS

◊ FRIED ONIONS   ◊ MUSIC   ◊ THE BEACH

Sushi

```
D U R S E U S P A I R A D
E S L I O L F S O O A S P
M R M V C Y R S D I N T E
I K C Y R E S A G R U E K
H S N U T B C A I C T N D
S K S S C O N J U T J R L
U E Y L V U O G S C E V I
Z O F A L M M E M N E U A
I K U R A O A B M J S K T
R I A H B U R G E I W U W
I B S P R H E N K R F X O
G O D C P E O A E O H L L
I T H W T A M L T N R W L
N I M P N I A K D S W P E
N S T U N E O H C O H I Y
```

◊ AVOCADO   ◊ NIGIRIZUSHI   ◊ SOY SAUCE

◊ CUCUMBER   ◊ OYSTERS   ◊ TOBIKO

◊ HOCHO   ◊ RICE   ◊ TOFU

◊ IKURA   ◊ ROLLS   ◊ TUNA

◊ KAPPA   ◊ SEA URCHIN   ◊ UNAGI

◊ MAKISU   ◊ SHAMOJI   ◊ YELLOWTAIL

"SELF" Words

```
D E T A N O I N I P O E U
T I X S J K I A B M V V B
I O S H T M D E D I U G J
T E H F P A X E D E N U O
L W E O E D F E F I S H Y
E D S M R E N K D T V J W
D E D Z P T M A I R K J I
D N E F E S O F Q F R S R
B Y C R T L I H W T E E H
D T U D U C Z F T E T M N
O I D R A K T E K R Y L N
U P N T T K Q E A U O P S
B F I T I A R T R O P W U
T O K Y N A S H S E L N Q
N G P P G N I N R E V O G
```

◊ DOUBT

◊ EVIDENT

◊ GOVERNING

◊ GUIDED

◊ IMPOSED

◊ INDUCED

◊ JUSTIFI-
CATION

◊ LESS

◊ LOADING

◊ MADE

◊ OPINIONATED

◊ PERPE-
TUATING

◊ PITY

◊ PORTRAIT

◊ SEEKER

◊ STARTER

◊ TITLED

◊ WORTH

"QUICK" Words

```
G N O H C T A C O T S A S
N S E Z O R F M B V S R Q
I E N R D D E R C S D E O
R A Y A T E E L E P C F E
I R L R Q A T T E O P G Z
F O I A K D S H T A Y T E
W C Z T P Z G R G I S F E
K E A H J S Z R E I W E R
T V G I N R U T E R S J F
G L A N C E V L H V M W A
Y G L K A R E D A O L N S
G U U I T H O R E I R I R
K K N N V L C K H O E T S
F Y C G O P T D H E A G S
D E H C R A M T R E E Z E
```

◊ ASSETS   ◊ LOADER   ◊ SILVER

◊ BREAK   ◊ LUNCH   ◊ THINKING

◊ CHANGE   ◊ MARCHED   ◊ THORN

◊ FIRING   ◊ RELEASE   ◊ TO CATCH ON

◊ FREEZE   ◊ RETURN   ◊ TRICK

◊ GLANCE   ◊ SIGHTED   ◊ WITTED

Words Starting "SUN"

```
S U T I N U S S U N D A E
Y U A N H O Y U S I N U S
C G H P S U N R N Q L S I
S U N B I R D B D T U J S
N A U V B H T P S N R H U
U E S K T E S U D S U A N
K S K O S U N R O O F S P
S U M N N S E S O P N U O
S N U D U N S R T W C N R
E S A I C S U N O E N B C
L Y T H S U N D P N I U H
N B E S U N N P S T U R S
U D C U L U L F N Z S S N
S P S P S U N E U L T T U
G O D N U S E U S N N U S
```

◊ SUN DOG   ◊ SUNDAE   ◊ SUNLESS

◊ SUN HAT   ◊ SUNDAY   ◊ SUNROOF

◊ SUN PORCH   ◊ SUNDOWN   ◊ SUNSET

◊ SUN   ◊ SUN-   ◊ SUNSPOT
  WORSHIP   DRENCHED
                           ◊ SUNSUIT

◊ SUNBIRD   ◊ SUNDRY   ◊ SUNTRAP

◊ SUNBURST   ◊ SUNKEN

Antonyms

```
D A P L A I C I F I T R A
S R I N C O M I N G M Q X
D D A N Y W S Y A W L A D
I K F W T F Z G Y M E N E
A N M J R E Q G P A E R N
G C T L I O N W A I D A Z
D A C E D I F T R E E E X
R R Z I R E R F I L A L D
W I A O D E M E C O A N E
H O B W B E S Y V R N M Q
X X R R K L N T U E T A C
Z O O R W C T T I E N D L
W A J O A R A R A N R Y W
D U A A D N H B C L G B T
E G T D G N I O G T U O R
```

◊ ACCIDENTAL   ◊ BACKWARD   ◊ CLEAN

◊ INTENTIONAL   ◊ FORWARD   ◊ DIRTY

◊ ALWAYS   ◊ BORING   ◊ ENEMY

◊ NEVER   ◊ INTERESTING   ◊ FRIEND

◊ ARTIFICIAL   ◊ BROAD   ◊ INCOMING

◊ NATURAL   ◊ NARROW   ◊ OUTGOING

Ball Games

```
F  H  F  B  P  Z  Y  A  H  T  Z  L  D
R  S  Z  F  I  T  B  A  N  D  Y  O  K
E  A  D  U  N  V  S  L  F  Q  R  O  B
Y  U  Q  I  G  U  M  O  O  I  J  P  O
E  Q  H  J  P  P  S  B  V  L  V  I  W
K  S  C  A  O  F  U  I  Q  O  O  E  L
C  I  F  N  N  A  R  J  Q  F  P  S
O  X  L  J  G  L  E  I  R  M  E  C  R
H  O  O  A  L  L  A  B  E  R  I  W  J
D  H  G  I  C  R  O  Q  U  E  T  N  A
L  K  Y  A  N  R  N  X  K  T  R  L  Y
E  L  G  L  A  T  O  L  E  P  U  P  S
I  U  L  A  M  A  B  S  D  O  G  A  A
F  U  A  I  G  F  X  M  S  F  B  N  K
Q  U  I  C  K  N  L  E  G  E  Y  C  U
```

◊ BANDY

◊ BIRIBOL

◊ BOWLS

◊ CROQUET

◊ FIELD
  HOCKEY

◊ FIVES

◊ GOLF

◊ JAI ALAI

◊ LACROSSE

◊ PELOTA

◊ PING-PONG

◊ POLO

◊ POOL

◊ RUGBY

◊ SHINTY

◊ SQUASH

◊ ULAMA

◊ WIREBALL

Customer Services

```
E Q F D G A S Z I W M S G
N G J Q E L H G H E N B G
O K C I L R T E L O G N S
H E P I P R C B I N I S E
P S K Q O N O T I D E U C
I S M P E R A L N N S L I
A N P I P T D A E U P U V
G A T R C N T T P T R F R
R A G E A S I Q X W O T E
P L P H R L A T W K C C S
N X Y E O N F H R W E A A
E A D P J J A O Y U S T E
G N O C C P M L C N S D J
U P R O V I D E R U M T G
N M E N O O T E N O S E P
```

◊ EXPECTA-
TIONS

◊ FOCUS

◊ HANDLING

◊ INTERNAL

◊ ONE-TO-ONE

◊ PATIENCE

◊ PEOPLE

◊ PHONE

◊ POLITENESS

◊ PROBLEM

◊ PROCESS

◊ PROVIDER

◊ RAPPORT

◊ SERVICE

◊ SKILLS

◊ TACTFUL

◊ TRUST

◊ UNDER-
STANDING

Good-looking

```
D R Y W A T E R L E Y R A
C A L L D Y Q L V X L E K
E Y G X E P T I H I E P H
S L P W Q P T T S D V P V
J M E S I C A P E G O A N
T W A G A N P H N R L D D
B T B R A H S I S S P A C
O O T G T N M O A A S O S
N T N Q D R T L M H M T T
A R F N A E A U I E Y Y N
S T A H Y C U N L L D S A
C R C B I W G Y I N E W I
G E X O E Y O S A M C E D
E G U H G D H D F J R U A
T S G N I N N U T S A G R
```

◊ ATTRACTIVE   ◊ DASHING   ◊ SALACIOUS

◊ BONNY   ◊ ELEGANT   ◊ SHAPELY

◊ CHARMING   ◊ GRAND   ◊ SMART

◊ COMELY   ◊ LOVELY   ◊ STUNNING

◊ DANDY   ◊ PRETTY   ◊ STYLISH

◊ DAPPER   ◊ RADIANT   ◊ WINSOME

```
L O P S H J U D G W P G W
B J A C C U S E D R A E E
A A N Y D E Y O O H I L L
C E R R P K V S A J Q B O
B U A R G D E I T R N I T
J W A W I C T S D C G B I
A R E H U S T F E E D V R
L X T T S H T V H F N K W
C N I T G L S E E I B C A
P O A I C G A H R U S K E
N N R R Q R O L S P L P U
D W W D I A A W F A L S E
L W R N E I V V N B E E Q
R I G A R R C E V S F P S
R A B T T Z P K E M I R C
```

◊ ACCUSED   ◊ EVIDENCE   ◊ PENAL

◊ AWARD   ◊ FALSE   ◊ PROSECU-
                                 TION

◊ BARRISTER   ◊ GOWNS
                               ◊ RIGHTS

◊ BENCH   ◊ HEARING
                               ◊ STAND

◊ BIBLE   ◊ JURY
                               ◊ TRIAL

◊ CRIME   ◊ ORDER
                               ◊ WRIT

Nursery Words

```
Z R S G S E E T O O B R L
E C E T N P Z F P C U E L
L X P D R I A H C H G I H
I J I M W H K O Y V T F C
B N W N H O M C E B O I B
O N W J I F P C O L I C J
M T H C O T S M T R A A F
Q V X R D G V W U A I P X
E T T L Z T T I B C M F S
M E I Z E E J Q V E L E Y
R H U W K N K U R K I A C
C L P S S N M N N B G R T
A L U M R O F I A G I H Z
R U S K S B R B P B M F K
A S E L D D U C S O M I I
```

◊ BABIES   ◊ COTS   ◊ MOBILE

◊ BONNET   ◊ CRIBS   ◊ PACIFIER

◊ BOOTEES   ◊ CUDDLES   ◊ ROCKING

◊ CHILD   ◊ DRINK   ◊ RUSKS

◊ COLIC   ◊ FORMULA   ◊ TALCUM
                                    POWDER
◊ COMFORTER   ◊ HIGH CHAIR
                                  ◊ WIPES

Computing

```
B T S R U B A Y D W S E N
E M A I L B Q W I H S J Z
W D P F Y R E N S S F S J
E Y K T G S D W P S Q R B
D V E H I O U C L M D I N
I S R S W N X V A B R M E
W E U S H L T F Y C M O L
D W H Y P V I E C O H D B
L A X G K L A S R H V E A
R V F S E R S D A F P M T
O F F I C E C S S P A X U
W U U V D R G H H W P C C
G N E E R C S E A G Y F E
R E L I A B I L I T Y U X
D R O W P X G L X U U N E
```

◊ BURST   ◊ EMAIL   ◊ RELIABILITY

◊ BYTES   ◊ EXECUTABLE   ◊ SCREEN

◊ CACHE   ◊ FILE   ◊ SHELL

◊ CD-ROM   ◊ INTERFACE   ◊ WINDOWS

◊ CRASH   ◊ MODEM   ◊ WORD

◊ DISPLAY   ◊ OFFICE   ◊ WORLD WIDE
                                    WEB

94 Double Trouble

```
B I R E B I R T M A M E W
P W L I Y I X I U R J D W
F R O U F R O U R I C A Q
D I P H A A T A M A T A M
L M F O C E R M U D M U D
A O B T M W N O R C L K R
V T V A Y P O V B U P E Z
A M N C D F O H L A B J Z
L O U A H E I M C R R W S
A T T A C I N F E L R O E
V V P A E N C B T E U K B
A A Q A R G A H A Y U O P
P D Y G P T F C I D H J H
L P U Z Z R A Y N C E M S
F Y I R E B I R E B T N J
```

◊ BADEN-BADEN

◊ BERBER

◊ BERIBERI

◊ BORA BORA

◊ CANCAN

◊ CHI-CHI

◊ CHOW-CHOW

◊ DUMDUM

◊ FIFTY-FIFTY

◊ FROU-FROU

◊ LAVA-LAVA

◊ LULU

◊ MATAMATA

◊ MURMUR

◊ PAPA

◊ POMPOM

◊ TARTAR

◊ TOM-TOM

Words Containing "TEA"

```
S T E A N G L T E A G P P
L A B T E A N H E E A E B
S R S E E R V I T A T N W
T T A T D A E T S E M O H
E N C T H S K T G A T E A
A A A A E W T I A L E N E
L E E E Z A N E A E S T T
I T G W T S B E A V T G P
N E C A T O L T D E N L
G A H E T S R D E Q A I A
T Z A E O E Z P L C M R T
E D T S T E A R A T E A E
A T E A V I T U U F R E A
B R A I N T E A S E R T U
E A U Y D A E T S N U A E
```

◊ ANTEATER

◊ BEDSTEAD

◊ BRAIN-
   TEASER

◊ CHATEAU

◊ GATEAU

◊ HOMESTEAD

◊ INSTEAD

◊ LACTEAL

◊ OSTEAL

◊ PLATEAU

◊ PROTEAN

◊ RATEABLE

◊ STEALING

◊ STEAMER

◊ STEARATE

◊ TEARING

◊ TEASING

◊ UNSTEADY

Spring Bouquet

```
M L X Y T Q X G S T Y R G
L A A W W J V E Z T C U G
I M R L B F A B J X S E N
R B R C F D N F U T A E K
P S D D H H A E Y N F Y N
A V S M Z H W F E V N W D
H J I X O K Y M F R I Y W
S T O O H S O A V O G U I
C Q M J L N S F C K D T D
P A N R E E Z O E I K I W
D M T H A H T L L V N Q L
N B Z K O W S S W B E T Q
A K Y H I R A E X A T R H
S I K I R N D R R B Z S T
L M Z E F G S F G F N W F
```

◊ ANEMONE   ◊ FEVER   ◊ MARCH

◊ APRIL   ◊ FRESH   ◊ MAY

◊ BLOSSOM   ◊ GREEN   ◊ NESTS

◊ BUNNY   ◊ GUSTY   ◊ SHOOTS

◊ CATKINS   ◊ HYACINTH   ◊ VIOLETS

◊ DAFFODIL   ◊ LAMBS   ◊ WARMTH

Friendly Words

```
R W Y E T N A D I F N O C
E O O T E D A R M O C K T
H L M S S G O N J R G I V
T L Z T A I O R E J R U A
O E S E R I L T K I P T W
R F E I P O S A P K C S C
B C T M D I H S Y C F I O
N I A Q S E D O T O C N M
Q H M P I E K S C T L O P
C M I P R U B I H L O G A
S I T D Q K C U C S V A T
X V N E B R G L D K E T R
G I I R O E Z E Z D R O I
K R E N T R A P O L Y R O
G M Y R A I L I M A F P T
```

◊ BROTHER   ◊ CONFIDANTE   ◊ LOVER

◊ BUDDY   ◊ CRONY   ◊ LOYALIST

◊ CHAMPION   ◊ FAMILIAR   ◊ PARTNER

◊ COHORT   ◊ FELLOW   ◊ PROTAGONIST

◊ COMPATRIOT ◊ INTIMATE   ◊ SIDEKICK

◊ COMRADE   ◊ KINDRED   ◊ SISTER
              SPIRIT

Deserts

```
Y N A I N O G A T A P J S
P K C U U R V M A H L I A
Q F M C U T E S L H M Z I
S Y R I A N F T E P J S R
K J T U L E T H S A D E O
I M A N A T U O V E M C T
C A M K D I N Z G H W H C
L N A E D U J I K A D U I
S H C T J L B A A L E R V
S A A O K S A N R E B A T
A D T A O T U N A N P U A
H L A N F B R A K D B Y E
A A J R I C I F U I G W R
R O O A Z R S U M K M V G
A B N U X L W D O L I S W
```

◊ AL-DAHNA   ◊ HALENDI   ◊ SECHURA

◊ AN NAFUD   ◊ JUDEAN   ◊ SIMPSON

◊ ATACAMA   ◊ KARA KUM   ◊ SYRIAN

◊ DASHT-E LUT   ◊ NUBIAN   ◊ TABERNAS

◊ GIBSON   ◊ PATAGONIAN   ◊ TANAMI

◊ GREAT VICTORIA   ◊ SAHARA   ◊ WESTERN

```
J  A  I  N  E  G  N  A  L  I  L  F  P
D  A  B  R  S  A  V  E  R  B  K  C  Z
S  A  Y  L  O  W  E  C  O  J  W  L  Z
I  R  N  B  F  M  R  L  N  Q  B  P  A
D  I  L  O  O  N  I  A  R  J  V  Y  C
I  A  F  D  R  V  I  U  N  R  E  A  L
B  R  U  B  I  K  R  H  B  D  F  E  T
N  Y  H  A  N  D  B  L  Q  L  I  D  I
I  N  N  L  T  Z  L  O  T  Y  N  R  G
M  O  A  W  Z  R  C  U  Y  N  A  U  G
N  S  X  I  L  G  G  A  K  Z  H  O  N
E  V  D  X  R  R  B  O  N  Y  G  G  I
R  U  P  N  I  A  A  A  Y  I  F  U  R
I  X  T  K  J  H  W  D  L  U  A  V  B
Q  O  C  S  N  K  B  E  N  O  R  K  E
```

◊ AFGHANI

◊ ARIARY

◊ BALBOA

◊ BOLIVIANO

◊ FORINT

◊ GOURDE

◊ KRONA

◊ KRONE

◊ KWANZA

◊ LILANGENI

◊ NAIRA

◊ RAND

◊ REAL

◊ RENMINBI

◊ RINGGIT

◊ RUFIYAA

◊ TUGRIK

◊ ZLOTY

100   Planes

```
A Y K J E G N I D N A L P
B I P L A N E S N O L Y P
A R R E S T I N G H O O K
P P U G O E N G Z J Z T J
A P N T B A T V N Z T M F
S S W H T F V U Z E U B P
S O A G E R G X R F M N I
E T Y I B K O M L A S P R
N N E R S A I P H Q D E T
G A S W I N G W I N G A S
E E S G A N V G V L Y L R
R P C L M R T P A P E L I
S J V Y W F D A M G Y H A
A F F O E K A T K R E A J
T R O P S N A R T E P G D
```

◊ AIRSTRIP

◊ ARRESTING
  HOOK

◊ BAGGAGE

◊ BIPLANE

◊ ENGINE

◊ HELIPORT

◊ INTAKE

◊ LANDING

◊ PASSENGERS

◊ PYLONS

◊ RADAR

◊ RUNWAY

◊ STEWARD

◊ SWING-WING

◊ TAKEOFF

◊ TERMINAL

◊ TRANSPORT

◊ WRIGHT

Double "T"

```
U  T  T  D  E  T  T  Y  H  E  Y  B  S
A  F  A  H  I  Y  T  T  I  D  R  O  T
A  I  R  E  T  T  U  G  F  I  E  T  T
O  T  T  E  H  G  T  L  C  T  T  T  O
G  A  T  T  G  X  Z  O  T  S  T  O  A
F  G  T  E  J  N  T  B  S  R  O  M  W
M  S  T  C  R  T  I  E  H  E  L  E  Y
E  A  T  T  A  E  A  T  L  T  S  L  L
L  B  T  C  O  Y  P  R  T  T  Q  T  R
I  T  E  T  G  T  I  O  R  I  Q  T  E
T  P  T  R  E  J  J  T  C  U  N  E  T
T  N  A  T  W  R  C  T  J  Q  Q  K  T
L  A  U  N  D  E  R  E  T  T  E  F  U
E  S  T  T  A  G  A  R  O  T  T  E  T
E  D  L  E  I  F  E  L  T  T  A  B  T
```

◊ BATTLEFIELD

◊ BOTTOM

◊ DITTO

◊ DITTY

◊ GAROTTE

◊ GHETTO

◊ GLOBE-
TROTTER

◊ GUTTER

◊ KETTLE

◊ KNITTING

◊ LAUNDER-
ETTE

◊ LITTLE

◊ LOTTERY

◊ MATTER

◊ OPERETTA

◊ QUITTER

◊ RICOTTA

◊ UTTERLY

More or Less

```
E  I  N  G  S  U  O  I  P  O  C  E  E
L  T  R  O  H  S  M  A  R  E  W  E  F
B  P  L  U  S  K  S  S  U  N  I  M  Z
A  W  R  E  P  E  A  T  E  D  H  U  A
R  E  U  E  S  X  R  E  L  E  M  L  A
E  U  W  S  C  T  M  S  U  P  L  T  M
D  N  A  B  N  R  C  K  T  S  H  I  E
I  M  B  E  T  A  A  E  S  C  K  T  R
S  C  P  W  N  K  E  C  B  L  E  U  T
N  H  H  T  Y  N  F  Z  S  R  X  D  I
O  U  Y  D  L  H  R  S  A  C  C  I  D
C  T  C  L  O  A  E  P  M  H  E  N  I
N  J  H  B  R  B  S  R  L  F  P  O  N
I  S  V  E  S  I  H  E  I  S  T  U  O
O  M  D  F  R  O  D  E  I  R  A  S  S
```

◊ COPIOUS

◊ EXCEPT

◊ EXTRA

◊ FEWER

◊ FRESH

◊ INCON-
  SIDERABLE

◊ MASSES

◊ MINUS

◊ MULTI-
  TUDINOUS

◊ OTHER

◊ PLUS

◊ RARE

◊ REPEATED

◊ SCANTY

◊ SCARCE

◊ SHORT

◊ SPARE

◊ UMPTEEN

Seven-letter Words 103

```
L E S F O R A D I R O L F
C A N E V N B Z M J C V Z
B Y C U E Y T O R E A R F
C A Y L N D O A K H W L J
G X N Q E N U P R M L T G
O Q T D R A O L Y I A J O
E W O E A L V I C T O R Y
N T F N E N I E I X N Z C
A N O V P D A B R T E Y S
I K E N O L A B A E R L L
T D J O Y H G O D Z O T E
R K S T R E B L I F U H I
A A S N C N K N C O S G Y
M W V T U R V F A F Z I O
V B B G C K C I L B I N L
```

◊ ABALONE   ◊ FLORIDA   ◊ NIBLICK

◊ BANDANA   ◊ GUNBOAT   ◊ NIGHTLY

◊ CLEAVER   ◊ HABITAT   ◊ ONEROUS

◊ DEVELOP   ◊ INFERNO   ◊ ONTARIO

◊ EXCLUDE   ◊ KEYNOTE   ◊ RADICAL

◊ FILBERT   ◊ MARTIAN   ◊ VICTORY

"DAY" Words

```
T E B N R E P P I R T Y E
J H X O Q D S M E M H R D
W B I C A C M L J X G E W
Y A P F H R E U E D I S Z
S C T O L A D P V Q L R J
C D L C S Q K E T S T U R
K A L E H V T O R T I N H
R O S N M N Y F J D D O Y
M W W H E U W R R W S R R
A J U I I L F E G P E N E
K W T I N F A S I G R R W
X A O C L M T T R U O R O
P K E R E T A U T H K G L
I P U R K L S E Z E V P F
W O Q S B T R A D E R J U
```

◊ BOARDER   ◊ NURSERY   ◊ SHIFT

◊ BREAK   ◊ OF REST   ◊ SURGERY

◊ DREAMER   ◊ PATIENT   ◊ TRADER

◊ FLOWER   ◊ RELEASE   ◊ TRIPPER

◊ HOSPITAL   ◊ RETURN   ◊ WATCH

◊ LIGHT   ◊ SCHOLAR   ◊ WORK

```
R D K W F I R D Y S Y S A
G T E E O P C A T T W P O
N V I N V E N T E D P E M
I L C H L Z T D K A Y C M
T A B R N E N R R Y M T C
A E S N O E G I D I A R U
N R Q P T M T E E I E A N
I N L E I I A W N C R L C
C U R I O R E N R D D O A
S P F N E R I E T E A I N
A G A I L E A T H I L R N
F L R V F T T V U I C U Y
E E E K I L Y R I A F S G
E Y O V N G H O S T L Y P
J B E H C T I R D L E N S
```

◊ APPARI-
  TIONAL

◊ CREATIVE

◊ DREAMY

◊ EERIE

◊ ELDRITCH

◊ ELFIN

◊ FAIRYLIKE

◊ FASCINATING

◊ GHOSTLY

◊ INVENTED

◊ LEGENDARY

◊ PRETEND

◊ ROMANTIC

◊ SPECTRAL

◊ SPIRITUAL

◊ UNCANNY

◊ UNREAL

◊ WEIRD

Bad People

```
S U J H R E L Z Z E B M E
L E V A N K U T A N N C W
I R A L J R A L G R U B E
E D L C S I U M E R K C S
R L U H N S E S D T N Q L
R E K L A T S Y T E H C S
C O E H E A H L F L Y U S
L R V U P Y X L M X E G G
R V O S G V M U G G E R P
J V E O T O F B Z B E J M
C R J H K E R O B B E R U
T H I Z L R O T I A R T S
E E E O G H S R Q A H B O
F C N A V B B F F W Z Q I
M R I N T G C Y V H F Y B
```

◊ BRIBER   ◊ FELON   ◊ RUSTLER

◊ BULLY   ◊ FENCE   ◊ STALKER

◊ BURGLAR   ◊ KNAVE   ◊ THIEF

◊ CHEAT   ◊ MUGGER   ◊ THUG

◊ CROOK   ◊ ROBBER   ◊ TRAITOR

◊ EMBEZZLER   ◊ ROGUE   ◊ TRESPASSER

```
U D O Y Z Y U G P J F T H
H G I Y L M Q G P V X M S
G L I S T E E P B H B W R
U H Y A C G E R L Q B I A
O E H P U O O U U Z L Q H
R I F K P K N I N L Y V S
A L U G E A C N T F X S M
K D I N R K N I E K I P M
K E Y V W U M S R C H J B
S G W J I E F T S O T X D
I G E R D C V F E J D E E
R A D L E S N J M C E D D
B R U S Q U E U V K U J E
Y C D Y L D N E I R F N U
E S Y K R E J A D R S B F
```

◊ BLUNT

◊ BRISK

◊ BROKEN

◊ BRUSQUE

◊ CRAGGED

◊ DISCON-
  NECTED

◊ GRUFF

◊ HARSH

◊ ILL-TIMED

◊ JERKY

◊ QUICK

◊ ROUGH

◊ RUDE

◊ SNAPPY

◊ STEEP

◊ TERSE

◊ UNCIVIL

◊ UNFRIENDLY

108   **Diamonds**

```
R U N L A B E L K B L E M
C O V E C A T V K J L Q W
P B S W G P Q I X B C B E
E R N E J M T H A U J V S
F L C J C N I U K R N K S
A O Y U A U L N N C A O E
C I L D T A T P I Y B H N
E E N W V T U Q O N C I D
T E I E R K E R I R G N R
P J F I I C X R O K O O A
U E M G N L A W F U A O H
N N K H G O N R P B G R T
A X C T S V N X A D S H Y
P E R U Z Z I C U T F R E
U J O O T A Y T A M S E F
```

◊ CARATS   ◊ JEWEL   ◊ ROSE CUT

◊ CROWN   ◊ KOH-I-NOOR   ◊ ROUGH

◊ CULET   ◊ MINING   ◊ TIARA

◊ CUTTER   ◊ PENDANT   ◊ UNCUT

◊ FACET   ◊ PERUZZI CUT   ◊ VALUABLE

◊ HARDNESS   ◊ RINGS   ◊ WEIGHT

Compost Heap

109

```
N O I T A T E G E V D H O
F M U Y R C G W S E S I R
P E E L I N G S B A S U G
C S B G S M N R E T P T A
R E R T G X I R N F A E N
Y E R E Q S I E K N R A I
V A Z Z W F H F D E C L C
W S N I N O E E R H S E A
F M A O L A L U L E C A T
S R B P T I N F I L H V S
K O Z H L A T R R Y S E U
L W E T M A R R M T P S D
F R F H R E N N E K R M W
S D J A B K N T L F N K A
T P Y A C E D Y S I X B S
```

◊ BERRIES   ◊ FERTILIZER   ◊ SAWDUST

◊ BONFIRE ASH   ◊ FLOWERS   ◊ SCRAPS

◊ DEBRIS   ◊ MANURE   ◊ STRAW

◊ DECAY   ◊ ORGANIC   ◊ TEA LEAVES

◊ EGGSHELLS   ◊ PEELINGS   ◊ VEGETATION

◊ FEATHERS   ◊ PLANTS   ◊ WORMS

110 Famous French People

```
A R G R O L F A V M U L E
I K O O S Y L S P A M P N
E S A I D E G A U L L E F
L N E D E T Q M G W J L D
L F I T O Q V U I A J F S
I W R D F W S D X R H A O
A F R A O N O S S E R C A
R A C H N R K B O K K A D
B P Z H O C I S O E V L R
G F I N S N K Z T H V V U
E E Y A O R Y S C T C I A
B U N C F C O M T E T N M
O R H D D C M L E N R E V
R E R N A N Y B E D C J P
I M Y L S E R S Y D Y A T
```

◊ BARDOT   ◊ CRESSON   ◊ LACOSTE

◊ BINOCHE   ◊ DE GAULLE   ◊ PIAF

◊ BRAILLE   ◊ DELORS   ◊ RODIN

◊ CALVIN   ◊ DIOR   ◊ SARKOZY

◊ CHAGALL   ◊ DUMAS   ◊ VALLS

◊ COMTE   ◊ FRANCK   ◊ VERNE

```
C Q T C Y T O X K Z L O D
P U K X R G M H I B E T E
E S P C E V I J N N T D P
Z T I O M M N J Q R N O A
E C R O L L O W H E I R X
I T M A A A T E T L I D
R M I X N Q N N F S N C Q
F R S S C S R O C A M Z S
M Q X I O E I L H E H E R
X O T B I P Y T T E T S V
A T M L W N M O I N Z E A
D A G A A L P O A O N Y U
J I E R R E Q L C F N D L
D B P C N A T K Q W C A T
X M V H T A X O G I V E L
```

◊ ALMERY
◊ ARCH
◊ ATLANTES
◊ COMPOSITE
◊ CUPOLA
◊ DORIC

◊ EASTERN
◊ FRIEZE
◊ JAMB
◊ LANCET
◊ LIERNE
◊ LINTEL

◊ METOPE
◊ MINOAN
◊ OGIVE
◊ SHAFT
◊ TRANSI-
TIONAL
◊ VAULT

Haydn Symphonies

```
J O A A E E F H W G A R W
H H X L M E N M Y H Y E N
I C T L A E S I C L G U L
F E D H L N T S E V U E O
F G Z U E O G R A R G F N
M Q F C L B R I A H A X D
I D I M E L E M S U C L O
L M C N A P E A U N E A N
I V D N O R L W R R R L
T R I E C D T E E O D O Z
A H G U R R U H S R M O H
R M R L L O I A E O A D T
Y Y N N M F H Q L H I F P
V L A R O X E L A N E R P
H V G J W O I V I L Z N D
```

◊ DRUMROLL   ◊ LA REINE   ◊ MERCURY

◊ ECHO   ◊ LA ROXELANE   ◊ MILITARY

◊ FAREWELL   ◊ LAUDON   ◊ OXFORD

◊ FEUER   ◊ LE MIDI   ◊ THE BEAR

◊ HORNSIGNAL   ◊ LE SOIR   ◊ THE HEN

◊ LA CHASSE   ◊ LONDON   ◊ TRAUER

Symphony Titles

```
Y T E I X N A F O E G A D
M D O Q S L N H Z U X J A
W K T D I U T Y N H A T R
A G I X Z Z A Q I J D E G
C N T D E Y R H L P Z T N
P H A R H E N I S H W N I
A S N O Z W G G L I A A N
G E P F O N A G A P L D E
G N S X K N J O Q W R O L
P N I O I G K V O V V T P
R H Q R A I P C P E R I S
A C X G P D S B O D G I X
G C L A S S I C A L R M Z
U Q Q N L E A R S A C S R
E K A W T M Y H P S P W M
```

◊ AGE OF ANXIETY

◊ ANTAR

◊ ASRAEL

◊ CLASSICAL

◊ CLOCK

◊ DANTE

◊ LENINGRAD

◊ LINZ

◊ ORGAN

◊ OXFORD

◊ PAGAN

◊ PARIS

◊ POLISH

◊ PRAGUE

◊ RHENISH

◊ SEA

◊ SPRING

◊ TITAN

Decorating

```
S Y N O I T A R A P E R P
D P V J I Z R M P S J A Z
R E D D A L P E T S H G C
O F A E J W H R K M I S Y
V L E S G L O S S Z F Z S
Y N L I U N B L P S V G H
X R K G R M I R I A N X J
Y E T N E Y I G U I S O L
L T N N Q M M E N S G T B
W T Y A E M U A U A H T E
L A Z R I P E L O L H E O
P P H J A L R W S E G K S
R K W I C M S A V I N Y L
W K N L I S K F C O O O Y
P T E E H S T S U D A N T
```

◊ BRUSHES   ◊ GLOSS   ◊ PATTERN

◊ CARPENTRY   ◊ GLUE   ◊ PREPARATION

◊ CLEANING   ◊ HANGING   ◊ PRIMER

◊ DESIGN   ◊ NAILS   ◊ RAGS

◊ DUST SHEET   ◊ PAINT   ◊ STEPLADDER

◊ EMULSION   ◊ PASTE   ◊ VINYL

Islands of the Pacific

```
M G A M Y D K W A M M U P
R I I A W A H O A M R N I
T A I W A N J U A A S H T
B U F Y I Y G H O T P U C
B R A L H L I G L D A N A
E F I J I K Y A T G Z T I
F L U Q E N W N E C K E R
X Z L A V R T M G C Q R N
D U C I E Y T M N X F I L
U W Z N V S A S N G T Q P
Q U C B S L V P A L A U U
I E K A D E E Q U U W C Y
F K C E V B R M R F H V A
K V N D L N W A U E O A N
Y R E T S A E M M J P J O
```

◊ DUCIE

◊ EASTER

◊ FIJI

◊ FLINT

◊ GUAM

◊ HAWAII

◊ HUNTER

◊ MAHIKEA

◊ MALDEN

◊ MELVILLE

◊ NAURU

◊ NECKER

◊ OAHU

◊ PALAU

◊ PITCAIRN

◊ SERAM

◊ ST
  LAWRENCE

◊ TAIWAN

"K" Words

```
K N E T E K O A R A K O K
K E J G D C L K I N G L Y
I T C L D T K P S K E J O
N T D K W E F C R K M F T
E I W N K A L A H A R I S
T K A Y A K S W K E P O K
I V O D F R I H O K P O V
C G R M L K R N N N K R K
V N K K O K U E K E K A N
T I S X H D D W G E F G A
I D W A E E O E F U D N C
K D K H K E T A T S R A K
N I Q K N E E H O L E K G
F K T D K F I S N K I Y Y
E P O C S O D I E L A K K
```

◊ KALAHARI

◊ KALEIDO-
  SCOPE

◊ KANGAROO

◊ KARAOKE

◊ KAYAKS

◊ KHAKI

◊ KIDDING

◊ KILTED

◊ KINETIC

◊ KINGLY

◊ KINKED

◊ KITTEN

◊ KNACK

◊ KNEEHOLE

◊ KNOWLEDGE

◊ KOMODO

◊ KOPEK

◊ KRUGERRAND

Dickens Characters

```
L B B C L J D W T T C Q C
D I E B X V N Q S E W N N
K T N E R T D E R F B I K
G Z E G N E K C W B F G W
I E A A H I D B A T R A O
R R N X M K T R A A D F P
P C O S O Y T A B R N H S
Y S O Z J A D A M S K V L
S K B D E N J O C C R I E
T C T H L S S R R Q E R S
E N L A Z I C J W R C D P
B A B I R Y N Z G P I G F
X P Z E L T A H O G K T B
R E D L A W A T I S G K G
M I T Y N I T R I A X H Y
```

◊ ADAMS

◊ AMY DORRIT

◊ BARKIS

◊ BETSY PRIG

◊ BITZER

◊ CODLIN

◊ FAGIN

◊ FRED TRENT

◊ KENGE

◊ NANCY

◊ PANCKS

◊ POTT

◊ REDLAW

◊ SMIKE

◊ TARTAR

◊ TINY TIM

◊ TRABB

◊ WOPSLE

"OVER" Words

```
A N C P H G S E N O T E S
C B Q D L U D E H E A R D
A A U H O L L E M L F Y H
B L I I E B I R C S B U S
D A X N H N E K I I H X P
A N X Y S Z K V V C R R E
A C Z W T U R N I N G P C
Y E R W L X R M Y R W X U
L A C I R T A E H T D H L
B T P U A P Y S D C I E A
K Z F K B H L T B L R S T
Q K E K H L J D S Z M T I
E N K D A E H K V A Z Y O
A L L I H E H T I K H K N
Q F O E C N E D I F N O C
```

◊ ALLS

◊ ANXIOUS

◊ BALANCE

◊ CONFIDENCE

◊ DRIVE

◊ HASTY

◊ HEAD

◊ HEARD

◊ INSURED

◊ KILL

◊ PRICED

◊ SPECULATION

◊ SUBSCRIBE

◊ TAKEN

◊ THE HILL

◊ THEATRICAL

◊ TONES

◊ TURNING

Sherlock Holmes

```
S X E F Z N O W S S N G V
X E Q D O M P O N T R T O
K Q M S A X C I M P C G T
H N T L C R K E P I P A F
S A U P O P T T J V I T F
W R M H O H T S H S F X Q
L O B H C S S S E E C S Y
Z M N Q F E E R H L O C T
B F A F C E U T C W A R M
H K A I B T Q W X L Y H Y
Z O L S N Y N E S T U E O
O O U E E V I C T I M E W
P J V N B S F R J I X H S
C D J X D N A L R B U W Y
A D L A N O D C A M Q E Z
```

◊ ADVENTURES   ◊ HOPKINS   ◊ PIPE

◊ CASES   ◊ HOUND   ◊ POLICE

◊ CLUES   ◊ INQUEST   ◊ THEFT

◊ CRIME   ◊ LESTRADE   ◊ THEORY

◊ FACTS   ◊ MACDONALD   ◊ VICTIM

◊ HOLMES   ◊ MORAN   ◊ WATSON

120   Roulette

```
H W D R E H B H E Y T Y S
H U U C O A Z D K N O N T
I R Z U L L I C J H D S O
G N S L E S U G P T D E L
H E O E J L I C I R B B S
O U H U S E Y E O R E G E
R W O M T P R O K U T S U
L N A R J S N F B K P P S
O M W H P I I T X M F I W
W R G V S H O D F E H H Z
R C E A F K E W E V M C C
N O C Z E J Q L F B L C H
P V E N I L L A I C E P S
Q K S G Q K V B Y N O T D
B V O J A S E K A T S H P
```

◊ BALL   ◊ LUCKY   ◊ SPECIAL LINE

◊ CASINO   ◊ ODD BET   ◊ STAKES

◊ CHIPS   ◊ ORPHELINS   ◊ TIERS

◊ COUP   ◊ OUTSIDE BET   ◊ TOKENS

◊ HIGH OR LOW   ◊ PRESS   ◊ WHEEL

◊ HOUSE   ◊ SLOTS   ◊ ZERO

Words Containing "RAT"

```
E D E Y V E A F E U V O L
A X M S T R E T D J H K I
T U P A X R E E A U D K B
Q X R L R S T T A R E E E
Q I B A O A S E A R T T R
N U T R R R C A R A S A
H I Q R V A A T R R C Q T
C O E P T H I T B A I D E
G S V E P N A I O G T Z L
Z B G L G K L P H R G C L
E T A R R A N A T R Y X H
I M A Y C M A R A T H O N
K T S G R G Q T R R Y O Z
E T A R U C E M W Q E I L
I R P K P S E T A R E B E
```

◊ AERATE

◊ BERATES

◊ CALIBRATE

◊ CRATER

◊ CURATE

◊ ERRATIC

◊ EXPLORA-
TORY

◊ GRATES

◊ INGRATE

◊ IRATE

◊ KERATIN

◊ LIBERATE

◊ MARATHON

◊ NARRATE

◊ SCRATCH

◊ SERRATED

◊ STRATA

◊ WRATH

"CAR" Starting

```
E N N E G O N I C R A C C
L C A R N E L I A N A A L
C A A U K C L A R R R A C
N R R C O A A U T B V A P
U E A A N B R R O I R M C
B R C R P A I X N S C A J
R C A T C C O R C A R G O
A C R O U T A X A T G R R
C C Y G O C R R W C H E A
H A C R T D E H A Y I A C
E R R A Z J E M H W U K A
D A X P R E N I M R A C D
C V U H L R E E R A C Y R
C A R E S S Y U R A C R A
T N U R A C O E U G R A C
```

◊ CARAVAN

◊ CARAWAY

◊ CARBUNCLE

◊ CARCINOGEN

◊ CAREER

◊ CARESS

◊ CARGO

◊ CARIBOU

◊ CARMINE

◊ CARNAGE

◊ CARNAL

◊ CARNELIAN

◊ CARNIVAL

◊ CARROT

◊ CARRY

◊ CARTO-
  GRAPHER

◊ CARTON

◊ CARTWHEEL

Crime

```
I  L  P  D  H  A  T  Q  T  K  C  E  M
B  C  S  M  I  S  C  O  N  D  U  C  T
L  E  P  Y  B  A  T  T  E  R  Y  I  F
W  K  M  G  M  P  A  N  D  I  K  V  O
G  G  N  I  L  A  E  T  S  P  Y  B  W
N  R  O  G  R  I  G  B  W  C  Y  Y  Z
I  H  Y  H  A  C  K  I  N  G  F  P  A
H  U  M  R  O  T  R  E  B  I  R  I  R
S  X  U  V  H  U  U  E  M  Q  A  R  S
I  Y  X  E  B  Q  D  I  B  T  U  A  O
H  F  F  J  N  X  S  R  T  Y  D  C  N
P  T  T  I  I  D  G  A  P  F  C  Y  F
G  N  L  I  E  V  C  J  I  D  Z  S  B
S  E  V  E  H  K  V  M  U  R  D  E  R
D  K  D  D  H  B  R  I  B  E  R  Y  A
```

◊ ARSON

◊ ATTACK

◊ BATTERY

◊ BIGAMY

◊ BRIBERY

◊ CYBERCRIME

◊ DELIN-
  QUENCY

◊ FRAUD

◊ HACKING

◊ KIDNAP

◊ MISCONDUCT

◊ MISDEED

◊ MURDER

◊ PHISHING

◊ PIRACY

◊ STEALING

◊ THEFT

◊ VICE

Animal Stars

```
O K N I L T O L E C N A L
I E L A X T F W M Q G N L
Z E B A B H N E Y S J A U
N I C Y B D O N B E S D S
U M Y U L H E V B S T J K
N U D T Y L D P I L F E I
R D M H U Z I E M R E D P
Y I I A Y A I W E F H R P
W R N U K C E D L C C T Y
X T U T Y C M B O F P P M
C E G F I U I O K T T U P
O I H W G N H L V C R M A
M F B G S X T G F R A N X
E I S Z Y B R I A G M L D
T M A T N Q K Y N A P N B
```

◊ BABE

◊ BLACK
   BEAUTY

◊ BUDDY

◊ COMET

◊ FLICKA

◊ FURY

◊ HOOCH

◊ J FRED
   MUGGS

◊ LANCELOT
   LINK

◊ LASSIE

◊ MR ED

◊ MURRAY

◊ NUNZIO

◊ PETEY

◊ RIN TIN TIN

◊ SKIPPY

◊ TRAMP

◊ WILLY

A Walk in the Woods

```
E H V Q Z H S O V L T N Z
L C J R I W U I E Y W L R
P E M A E R T S V J I O E
A E N A Y G J I B B G S R
E B U D W W D H A X S K O
L A G D O E C A S C P A M
P N N L C R N X B H Z B A
A K I C I S G V W A R C C
M X R B G W O L L I W L Y
R B A A W Z L T D I E X S
D E E R H O L L Y A H B T
T E L A R R E N V W O T L
E T C T M W J E Y A O L B
I L Q K A D S J D V A R A
B E I Y R E N E E R G W C
```

◊ BADGER   ◊ CROW   ◊ MAPLE

◊ BEECH   ◊ DEER   ◊ OWL

◊ BEETLE   ◊ GREENERY   ◊ STREAM

◊ BIRCH   ◊ HOLLY   ◊ SYCAMORE

◊ BRIDLEWAY   ◊ IVY   ◊ TWIGS

◊ CLEARING   ◊ LEAVES   ◊ WILLOW

Varieties of Pear

```
M G K B R K F D T O S C A
S X A S W C R N X Z P C K
W L H H U A A F V H T E Y
A D F U W S I A Y T T T C
N D R N H R H Y E N G S M
E T O I E C T L S Z O D E
G Q E B O J T N R B R C C
G A M R V R Z O E L Y A N
E U M T A A J R Y I N Q E
L M Y B T L R C A J R C R
E T S C R U C F O S J O E
K H P R E O S U P U R C F
T O I B Z E S L B E T H N
R R U C B P X I W C J R O
A N M M W W Z Z A Q A Y C
```

◊ AMBROSIA ◊ CLARET ◊ ORIENT

◊ ANJOU ◊ CONFERENCE ◊ ROCHA

◊ AYERS ◊ ELEKTRA ◊ SACK

◊ BARTLETT ◊ LUMBER ◊ SWAN EGG

◊ BETH ◊ NASHI ◊ THORN

◊ BEURRE
  BOSC ◊ ONWARD ◊ TOSCA

Words Reading Either Way

```
A O C R O P G Q G U K Q Z
E P T I A L Z X P L W N J
W A R T S U R F I R E S X
F P S F T G C E T E V S L
X N P L R W Q I S W X N A
X T U N O B B T F A D A G
S L E E P O R F B R C P E
X F L P S E P P G D H S R
M G C A S T A Q A A W V L
V Y G S M C R D T N Z L M
H Z E W E I W A E G K H M
C D M R Y I N N M N N Q C
K D I A P E R A A S I F Q
Q K P X H A L O N Z T M R
K M A R E B U T H C S F T
```

◊ ANIMAL   ◊ GATEMAN   ◊ POOLS

◊ DENIM   ◊ GULP   ◊ REBUT

◊ DESSERTS   ◊ KNITS   ◊ SMART

◊ DIAPER   ◊ LAGER   ◊ SNAPS

◊ DRAWER   ◊ PACER   ◊ SPORTS

◊ FIRES   ◊ PEELS   ◊ STRAW

Electrical

```
R R T E K C O S A O O V E
E G I H X L Q D G H E Z R
I Y N A N Q C I E M P H P
D Z S I I S P R N S K H H
N A T T B P F G E G T W D
K N A N H U M V R R U P E
P Z L S D R T Q A B B L R
V O L T A G E E T G L A P
F I A I P C V Y O U F T N
H Q T B V O V A R U S E D
M W I S L E W N S E I A K
E I O T H U F E L E O J M
F N N I U Z B B R L A M C
Z Z H N I O A S N O W S E
Q P U U X C T A W R R P Y
```

◊ BULB

◊ CABLES

◊ EARTH

◊ FUSE BOX

◊ GENERATOR

◊ GRID

◊ INSTALLATION

◊ LIVE

◊ LOAD

◊ OHMS

◊ PLATE

◊ PLUG

◊ POWER

◊ SOCKET

◊ SPUR

◊ TUBING

◊ UNITS

◊ VOLTAGE

NATO Members

```
B A I K A V O L S R U M X
J U P C H B N S A T X V P
R B L O M S A P O T O Q C
L B Q G L A Q A A G V U R
H Y C N A A O I I P O I O
G Q E A A R N N N O P G A
Y R V K N B I D A R K L T
A R U M R A L A U T R E I
W J A O U U D U H U A F A
R D K G B I T A T G M O V
O R G R N M G O I A N D R
N P R E K U E L L L E E G
Y R Q E O D H X E K D J U
C Z E C H R E P U B L I C
W Q L E I T A L Y L A Y R
```

◊ BELGIUM   ◊ GREECE   ◊ NORWAY

◊ BULGARIA   ◊ HUNGARY   ◊ POLAND

◊ CANADA   ◊ ITALY   ◊ PORTUGAL

◊ CROATIA   ◊ LATVIA   ◊ SLOVAKIA

◊ CZECH   ◊ LITHUANIA ◊ SPAIN
  REPUBLIC
              ◊ LUXEMBOURG ◊ TURKEY

◊ DENMARK

Copy

```
O  J  S  P  E  O  T  T  I  D  N  R  H
Y  L  P  E  T  F  Y  R  E  G  R  O  F
I  X  C  O  A  V  D  I  T  W  F  N  T
I  E  I  M  R  A  G  M  Z  R  A  K  I
M  F  M  L  I  T  K  I  K  S  K  J  E
P  E  I  U  P  Q  R  T  D  B  E  A  F
E  S  M  M  L  J  S  A  Y  D  D  C  R
R  A  U  I  H  A  K  T  Y  K  L  M  E
S  R  T  R  W  T  T  E  Q  O  O  M  T
O  H  J  R  C  O  Q  E  N  D  Z  M  N
N  P  R  O  A  O  B  E  E  Y  L  K  U
A  A  Z  R  A  C  K  L  K  C  O  M  O
T  R  V  B  Q  B  E  F  T  U  X  R  C
E  A  W  F  I  N  H  T  O  R  R  A  P
S  P  I  P  P  A  R  O  D  Y  S  Q  P
```

◊ CLONE

◊ COUNTER-
   FEIT

◊ DITTO

◊ EMULATE

◊ FAKE

◊ FORGERY

◊ IMITATE

◊ IMPER-
   SONATE

◊ MIMIC

◊ MIRROR

◊ MOCK

◊ MODEL

◊ PARAPHRASE

◊ PARODY

◊ PARROT

◊ PIRATE

◊ PORTRAY

◊ TRACE

```
O R W Y J A I N O M M A H
Y E J J E U B I A S O E G
Z C F O N H U U A L N D H
E P H N O Y K G R E U I Q
N C E L Z X L H L O S X N
E H L F O A Y Y A R C O N
G M I X O R T G R R L S P
S E U C Q E O M E A G U B
O T M V C T L F H N W O R
H H R A H Q N V O G Z R N
P E N N O N E X V R N T J
X R C Y A N O G E N M I B
X N Q N A E N A T U B N K
U B L T C U K K E T E N E
Y S I N O D A R D G S E E
```

◊ ACETYLENE

◊ AMMONIA

◊ ARGON

◊ BUTANE

◊ CHLORO-
  FORM

◊ COAL GAS

◊ CYANOGEN

◊ ETHER

◊ HALON

◊ HELIUM

◊ KETENE

◊ NEON

◊ NITROUS
  OXIDE

◊ OXYGEN

◊ OZONE

◊ PHOSGENE

◊ RADON

◊ XENON

Aches and Pains

```
T  K  J  Y  N  D  Z  O  F  S  G  H  A
R  R  B  C  C  I  C  Z  G  N  L  Y  Z
E  Q  O  S  V  P  A  N  X  H  U  R  O
G  E  B  F  P  S  A  R  K  D  H  E  P
N  L  U  J  M  P  I  R  T  E  P  S  X
I  G  R  T  A  O  A  C  O  S  R  I  Z
W  N  N  X  H  Y  C  G  K  X  M  M  X
T  I  I  I  N  N  D  S  O  N  Y  M  T
E  T  N  G  K  Q  I  A  I  N  E  S  K
L  M  G  A  B  C  K  A  L  D  Y  S  M
F  Z  E  J  E  C  I  R  R  A  A  P  S
O  I  S  T  I  N  G  R  U  P  M  G  P
M  R  N  R  J  Q  D  I  P  A  S  V  A
M  H  C  N  I  P  Z  D  R  P  S  N  S
T  H  V  Z  M  L  H  C  W  U  Z  E  M
```

◊ AGONY   ◊ MISERY   ◊ SPASM

◊ BURNING   ◊ PANGS   ◊ SPRAIN

◊ CRAMP   ◊ PAROXYSM   ◊ STING

◊ CRICK   ◊ PINCH   ◊ STRAIN

◊ DISCOMFORT   ◊ PRICKING   ◊ TINGLE

◊ MALADY   ◊ SICKNESS   ◊ TWINGE

Pasta

```
A N G I M A R G O Y J R Y
E S F S B K P Z V T I C V
L V N E S O R C U G F R I
L C P A H O H B A X I E L
A I C Q R O E T N M D S O
F K L E Z T O O I G E T I
R Y P G T N D F N I O E V
A R T I I J Y I I R S D A
F I O R I G I U T T F I R
S E Q P C C L E O S S G V
H J Q Z P Z L D R G Q A Z
I C I P E L I T I Z P L F
W U J P I X S U R G C L N
S Y I N D P U T R O F I E
U P E N N E F M P C J P R
```

◊ CRESTE DI GALLI

◊ FARFALLE

◊ FIDEOS

◊ FIORI

◊ FUSILLI

◊ GIGLI

◊ GRAMIGNA

◊ ORZO

◊ PENNE

◊ PICI

◊ PIPE

◊ RAVIOLI

◊ RIGATONI

◊ ROTINI

◊ TORTELLINE

◊ TROFIE

◊ TUBETTI

◊ ZITI

134   **Man Booker Prizewinners**

```
P G E Z J P W Y N D U Z D
E E E G Z B E D O T X S T
V M J M Q M N A O R L G F
H H L O N X R W W Y H X I
E Y S U O A I S R N L U W
I E A X H Z G D Y I H E S
J R J O W S H A O K T I C
U O K H K V T P N O M X O
Q T N O A P Y G V A W M T
B S L D I B L B G P L T T
L E I E W W V X L D R F A
T G R E C I O A Y E R A C
A R N G W G P C L S F X U
E M S H E C E M C A L B C
C S A I K R D E C I N D I
```

◊ ADIGA   ◊ DOYLE   ◊ OKRI

◊ AMIS   ◊ ENRIGHT   ◊ PIERRE

◊ ATWOOD   ◊ FLANAGAN   ◊ ROY

◊ BERGER   ◊ HULME   ◊ SCOTT

◊ CAREY   ◊ JHABVALA   ◊ STOREY

◊ DESAI   ◊ NEWBY   ◊ SWIFT

Plurals Not Ending in "S"

```
N  I  T  T  M  E  D  I  A  V  J  G  N
U  E  E  Q  R  D  N  K  R  I  U  E  S
E  E  R  R  N  I  E  Y  B  S  C  E  O
F  D  A  H  M  E  X  P  R  T  O  S  V
D  T  B  R  T  M  O  K  S  A  A  E  K
A  J  E  C  Y  E  H  J  W  D  R  M  I
I  T  I  F  F  A  R  G  T  I  B  N  O
I  D  H  Y  U  L  F  B  F  A  A  A  H
E  U  C  O  F  G  L  R  C  D  L  N  I
L  C  Y  G  S  A  C  I  N  A  E  T  N
C  X  O  I  R  E  L  Z  R  M  D  P  M
U  U  E  X  H  L  Y  V  O  I  N  Z  U
N  K  O  A  I  K  A  W  G  N  A  J  L
J  A  R  B  R  E  N  D  I  T  C  E  A
P  E  C  I  L  D  A  E  H  V  U  R  T
```

◊ ALGAE

◊ ALUMNI

◊ BACILLI

◊ BRETHREN

◊ CANDELABRA

◊ ERRATA

◊ FEET

◊ GEESE

◊ GRAFFITI

◊ HEAD LICE

◊ LARVAE

◊ MEDIA

◊ NUCLEI

◊ OXEN

◊ STADIA

◊ TERMINI

◊ THOSE

◊ WOMEN

"J" Words

```
J B J A R G O N J H I U J
J U X T A P O S E C R Q D
Y Y W I J I J J U Y J N R
Z T M U M A J A U A M G A
Z N I E A M S P J C N X U
A U J C J J S A J I V R Q
J A O N U U R N Y A L J C
D J J J O N J E F D D D A
E X U Y V J K S J U A E J
R B O J A C G E E J J H D
E J D C O H D J W O Y N A
E T K J M V E N I M S A J
J E G M M A I N S R R C C
T L Y J P L E A H Y J Q J
J E I E N R A H L B Y L J
```

◊ JACKET   ◊ JASMINE   ◊ JOINER

◊ JACQUARD   ◊ JAUNTY   ◊ JOVIAL

◊ JADED   ◊ JAZZY   ◊ JOYOUS

◊ JAM JAR   ◊ JEERED   ◊ JUDAIC

◊ JAPANESE   ◊ JEWISH   ◊ JUJUBE

◊ JARGON   ◊ JOCKEYING   ◊ JUXTAPOSE

"ALL" Words

```
U O E M J E R D S Q H E K
E E F H C Y B H P A Y V E
D X I I O Z A N L G T I D
A N P U P R K L S P O S K
S S R F M I O L O D L U A
P S T H E W A Y R M D L R
W E Z N S T I E T P O C L
O W L N I G H T S N L N G
L S O X D T Z E G K X I G
E R H R A E Y A B N W N H
M P T E K M B Y S E I E S
I F W C P O B R R E S V R
T A Q R A T S V E X A T E
I H K R M F S S G V Y O K
Y A D S L U O S H A O D K
```

◊ ABOARD   ◊ SEEING   ◊ THE WAY

◊ ALONG   ◊ SORTS   ◊ TIME LOW

◊ HALLOWS   ◊ SOULS' DAY   ◊ TOLD

◊ INCLUSIVE   ◊ SPICE   ◊ WEATHER

◊ NIGHT   ◊ STAR   ◊ WORK

◊ OVER   ◊ THE BEST   ◊ YOURS

138   Composers

```
N H N H R E G N I A R G Q
T K C V S H B E D N X H G
C A M W X H A Y N D M C D
B D S T F L O W V R T I N
X R H N G H I O D U A V O
N A G L E H R S Y K Q O T
D L O N R A B I Z E T K L
W W S H K G S K E T C A A
N C Y M N S Y T S T M T W
O W E B E R M V N S Z S J
T M T Z V T E H G I E O P
L R A V E L A U A L A H S
I M P B R Y J N G R P S K
W M X L D U G A A O B W T
L H Y N I H R W U I S K S
```

◊ ARNE

◊ ARNOLD

◊ BACH

◊ BIZET

◊ BRAHMS

◊ DVORAK

◊ ELGAR

◊ GRAINGER

◊ HAYDN

◊ LISZT

◊ RAVEL

◊ SAINT-SAENS

◊ SHOSTA-
   KOVICH

◊ SMETANA

◊ VERDI

◊ WALTON

◊ WEBER

◊ WOLF

```
Q H A T S M J N W S P O Z
T E R S M M A I E Z C C J
W A K A I V J R M L B T E
B J R M T L S A G B S R X
Q N U L H K N L A E O O G
M L S E E Q R P A Y C Y N
Z E T S R F U H E M D M P
S N Y W S J B N Z T C C T
U N J F O V R N R E L C D
B Y O U A A M E E I A L V
Y M T W E T B E U L T U S
R E J K B B T E N L U R W
X L G Q I A S O F I S E P
Z D E H W O L Z N W H Y H
C I I S U T E L C Y L X S
```

◊ BART

◊ CLETUS

◊ FAT TONY

◊ HIBBERT

◊ JIMBO

◊ KEARNEY

◊ KRUSTY

◊ LENNY

◊ LISA

◊ MARGE

◊ MR BURNS

◊ NELSON

◊ RALPH

◊ SELMA

◊ SMITHERS

◊ SNOWBALL

◊ TROY
  MCCLURE

◊ WILLIE

Shapes

```
S U B M O H R J M S O Q O
Y X N T I X E M A D U G M
E R E C T A N G L E F V U
M B A F L E C Z D K U G I
L R U R L F F U T E T T Z
T Y X C A Y N O B J W U E
N T R Q P Q R L C O I K P
E I L H G U P F Y T I S A
C S N E S N Q O Y T L D R
S T P O K C V B E Y T Y T
E L E I G A S B P Y M E S
R X N F L A Y S D D N T M
C V I O W L N V O O A X I
S S Z V R P E O C R T Z E
K A T E O B L O N G C T D
```

◊ CIRCLE   ◊ ELLIPSE   ◊ RECTANGLE

◊ CONE   ◊ KITE   ◊ RHOMBUS

◊ CRESCENT   ◊ NONAGON   ◊ STAR

◊ CROSS   ◊ OBLONG   ◊ TORUS

◊ CUBE   ◊ ORB   ◊ TRAPEZIUM

◊ CUBOID   ◊ OVAL   ◊ WEDGE

"BLACK" Words

141

```
Y M G N H L F W M N N O H
L I L S O X O G C Q A C Y
F Z M O N D A Y E P X U A
U D P E I R U P S S V R X
N B O W N H U A Y X T R J
G N T R N X B N B S C A Q
V J E L D E R T U Z D N Q
J H K V L Q M H F M A T X
Y H R U Q Y C E F P R J Y
D V A Z W U B R A L H O M
N F M N H Q Z V L K W J T
G A I T D Q B K O L J V T
G E A A J T W L W M M B L
X E L I D A A G D O Q O R
D R I B H O X N Y K O X G
```

◊ AND TAN   ◊ DEATH   ◊ MONDAY

◊ ARTS   ◊ ELDER   ◊ PANTHER

◊ BIRD   ◊ FLY   ◊ POOL

◊ BOX   ◊ HAWK   ◊ ROD

◊ BUFFALO   ◊ LEG   ◊ ROT

◊ CURRANT   ◊ MARKET   ◊ WIDOW

Having Numbers

```
P  I  R  R  E  P  J  Z  G  Y  C  O  S
Y  C  U  G  E  S  O  A  C  A  Z  R  G
K  C  U  R  J  L  T  O  L  A  E  T  K
N  A  A  A  E  E  U  C  L  T  H  H  O
G  U  D  M  C  T  U  R  P  B  D  G  V
T  V  E  I  Y  L  E  A  K  R  A  I  U
Q  P  R  A  A  T  H  M  A  M  N  L  Z
C  P  I  T  D  C  I  O  O  X  J  F  L
S  K  O  E  N  J  B  C  O  D  V  J  W
S  R  P  M  C  T  Q  B  K  C  O  E  A
E  I  V  W  R  E  O  G  L  E  Q  P  T
L  B  X  A  P  P  R  O  T  F  T  F  C
A  H  D  C  I  R  C  S  E  G  A  P  H
C  S  U  D  O  K  U  P  U  Z  Z  L  E
S  J  Z  N  R  U  T  E  R  X  A  T  S
```

◊ CALCULATOR   ◊ ODOMETER   ◊ RULER

◊ CHAPTERS   ◊ PAGES   ◊ SCALES

◊ CLOCK   ◊ PO BOX   ◊ SUDOKU
                                     PUZZLE

◊ DARTBOARD   ◊ POOL BALL
                                  ◊ TAX RETURN

◊ FLIGHT   ◊ PRICE TAG
                                  ◊ TICKET

◊ GAUGE   ◊ RECEIPT
                                  ◊ WATCH

Sweet and Sour

```
G T V E S G D L E M O N G
T P N M N Q E R H U V D B
P R W A W I Y V A O D L O
J U U K D G D Q Q T N E E
S B R G Q N T A S Z S E S
H T C Y O Q O E N O E U Y
E M A V S Y S F R E I D C
R B N G A S S C D T R T J
B Y D N A K U O Y Z R G C
E W Y L I S G F N E E U L
T T O M G G A L A Y B F O
Z M C T K Z R C F Z P W Y
B H P I C K L E E S S J I
I A I X O E Z A G R A G N
H C B B B R A B U H R B G
```

◊ CANDY   ◊ KIMCHI   ◊ SHERBET

◊ CLOYING   ◊ LEMON   ◊ SUCROSE

◊ CUSTARD   ◊ MOLASSES   ◊ SUGAR

◊ FONDANT   ◊ PICKLE   ◊ SYRUP

◊ GRENADINE   ◊ RASPBERRIES   ◊ TREACLE

◊ HONEY   ◊ RHUBARB   ◊ YOGURT

Writing

```
L  G  K  D  R  E  C  E  I  P  T  J  E
L  J  Y  M  E  Z  H  Q  M  X  L  E  C
S  O  M  E  M  L  S  K  E  D  G  E  I
K  R  A  M  N  O  I  T  S  E  U  Q  O
P  D  R  A  F  M  X  V  E  C  Q  Z  V
C  E  E  S  G  N  I  X  E  M  M  J  N
H  C  N  A  P  J  E  N  U  R  F  C  I
T  E  E  C  R  M  J  T  U  A  Y  P  S
E  T  P  G  I  J  A  B  T  T  X  D  M
L  V  O  N  O  L  O  T  B  I  E  O  K
E  G  N  I  D  A  E  H  S  C  R  Z  R
G  M  Q  L  P  V  U  T  N  O  S  W  I
R  P  R  I  N  T  I  N  G  M  O  A  G
A  B  T  A  X  L  C  A  T  M  G  E  R
M  B  V  M  W  D  I  S  T  A  N  C  E
```

◊ COMMA
◊ DEAR JOHN
◊ DELIVERY
◊ DISTANCE
◊ HEADING
◊ INVOICE

◊ MAILING
◊ MEMOS
◊ MINUTE
◊ OPENER
◊ PENCIL
◊ PRINTING

◊ QUESTION MARK
◊ RECEIPT
◊ STAMPS
◊ TELEGRAM
◊ TEXT
◊ WRITTEN

Fasteners

```
W C G J Q D F G P K T K X
S L K Y C A I E A P E V R
Y S L Y U Z B P P V V R X
S U P E R G L U E P I B G
U Q C P T Y G L R Q R C U
A J S D A Q R O C S H I E
E A O G I U P M L H L F J
H D B Q N E G N I R T S R
K H U L H N F X P O G E G
C E C N O A C Q G H V A Z
A S K K O J R I A C M L T
T I L X K T R N L N I L W
U V E F J P T A E A X A E
L E L U E U S U N S D T L
B H Q S D P B P B B S E D
```

◊ ADHESIVE

◊ ANCHOR

◊ BLU-TACK

◊ BUCKLE

◊ BUTTON

◊ CLASP

◊ CURTAIN HOOK

◊ HARNESS

◊ HASP

◊ NAIL

◊ PAPER CLIP

◊ PEG

◊ RIVET

◊ ROPE

◊ STRING

◊ SUPERGLUE

◊ VICE

◊ WELD

Poems

```
Q V O O Z Y M A N D I A S
T U N V A V G U G J Q M M
H C E E K P J E W N A J H
E R R I R E P T L E D D S
L O U O P U P E R E A O O
I S S H R S T D Z H E N L
S L I D O F F A D A A J I
T T E L O N G I N G M U T
E S L V V W I H V E S A U
N O H A F E G W L B R N D
E H E F O U R Y O A M A E
R G S L O E G H L L L K C
S E G L E B H X Y O V B K
S H S D K C K U N A H E S
W T S N O I R E P Y H T S
```

◊ ALONE

◊ DAFFODILS

◊ DON JUAN

◊ DREAMS

◊ ELEGY

◊ HYPERION

◊ LARA

◊ LEISURE

◊ LONGING

◊ MAZEPPA

◊ NATURE

◊ OZYMANDIAS

◊ SILVER

◊ SLOUGH

◊ SOLITUDE

◊ THE GHOST

◊ THE LISTENERS

◊ WOLVES

Words Derived from Spanish

```
A H L C A F E T E R I A G
S M S E D G W V H M O B N
N B U F J T O V R H T D B
Y E F P I C R K A I A W D
Q M G A L L E O N D M F B
Y F X A L B I N O A O M G
M K G D E Y B B C W T B L
L G R N E Z F H U S O P E
R Z V E A S E R T S I F N
O L J M J T P E F I T L E
D W Y B E U S E R J L E O
E N S A E U K U R B S D R
O Z D R R H V M M A P C E
E G I G U A N A J O D N N
R X J O V J X R S C P O N
```

◊ ADOBE   ◊ EMBARGO   ◊ MUSTANG

◊ ALBINO   ◊ FILIBUSTER   ◊ PUMA

◊ ALCOVE   ◊ GALLEON   ◊ RODEO

◊ BREEZE   ◊ IGUANA   ◊ SILO

◊ CAFETERIA   ◊ JERKY   ◊ TILDE

◊ DESPERADO   ◊ MACHETE   ◊ TOMATO

148   Consumer Electronics

```
G K C T O U C A J T Z L K
R V Q V N I M U P C Q N J
S J P S J E I V N P M T S
N S G Q O I S A C I L D N
K N O W X T S J C T A E A
M T I N N C I R I U M R M
O F Y L O J O F Q A C S D
Y L W C W S N D G H C M O
N T B S O I A N O I A A O
A O M F C R A S N C F H G
S W T X T V M H R L S F W
B X Z S O Q C A O L H D F
R E M X R E N E E C A A Y
C A M O T O R O L A R P U
Y N O S Z Z O V L Y P S I
```

◊ AMSTRAD   ◊ GOODMANS   ◊ MOTOROLA

◊ APPLE   ◊ JVC   ◊ QUAD

◊ ARCAM   ◊ LINN   ◊ SANYO

◊ ARCHOS   ◊ MAGNAVOX   ◊ SHARP

◊ CASIO   ◊ MICROSOFT   ◊ SONY

◊ COWON   ◊ MISSION   ◊ TECHNICS

Fears

```
S K Q S T M N T S U Z Y N
E E T E T M J M E T G E L
I O V H G C I P U E F J K
Y T T I Q A E C O U T I N
G S L Y N V D S R I Y G L
O Y R R Q K T L N O S V D
L P U E S G V V O I B O X
O R E D D S E S R O H E N
N K Y N L I D Q D Q E V S
H B Y U S E P E T O I I E
C W H H A P S S F P G R L
E A D T G X A P I O H U D
T T H R G F P C E Q T S E
U E V F J A V J E E S E E
X R E P T I L E S S D S N
```

◊ DEATH   ◊ MICROBES   ◊ SPEED

◊ HEIGHTS   ◊ NEEDLES   ◊ SPIDERS

◊ HORSES   ◊ OLD AGE   ◊ TECHNOLOGY

◊ INSECTS   ◊ OPEN SPACES   ◊ THUNDER

◊ KNIVES   ◊ POISON   ◊ VIRUSES

◊ LIFTS   ◊ REPTILES   ◊ WATER

150

Costume Party

```
U H H D N N S R R B Y T G
J Y X U W E K W A O V U K
H O R O I K H E B O B M K
J S L P F D N W V E A O H
E C P H K I O B I N N F T
N I S M L C T N Y S S M I
H F D B R B E R Z V H R F
F I O E H G I A N G E L L
N G Y D L A T A L I E N O
W X Z L F Y Y E P B Q A W
O W T U A N O R T S A T E
I I R Y I J M G T A V T R
O T X V B C I Q R M R S E
S C F K P H J D R A Z I W
Z H L S O L D I E R G K P
```

◊ ALIEN   ◊ FAIRY   ◊ PIRATE

◊ ANGEL   ◊ GARGOYLE   ◊ ROBOT

◊ ASTRONAUT   ◊ GENIE   ◊ SOLDIER

◊ BANSHEE   ◊ GOBLIN   ◊ WEREWOLF

◊ CLOWN   ◊ HIPPIE   ◊ WITCH

◊ COWBOY   ◊ NURSE   ◊ WIZARD

Spain

```
L O A N O L E C R A B W V
L L L Z R X A U E C N E B
G L P H C D A J O I R L Q
F I V A I Q C O Q G W I J
E N V Z V A J K A D S T T
D A W W N H N O D C E S C
N R V F T C O T V W E A P
A P R D B A X L R I N C C
R M S G S N O O A V E B S
G E B R O R D G Z M R D B
O T K R C A A R I M Y A O
T G Q A G G R O B R P E M
O X I B O M P N I R O G U
S E Z V Z M I O Y U I N F
G O R U O D R I D U R Z A
```

◊ BARCELONA   ◊ GARNACHA   ◊ PRADO

◊ CADIZ   ◊ GIRONA   ◊ PYRENEES

◊ CASTILE   ◊ IBIZA   ◊ RIOJA

◊ CAVA   ◊ LOGRONO   ◊ SOTOGRANDE

◊ DOURO   ◊ LORCA   ◊ TEMPRANILLO

◊ EBRO   ◊ OVIEDO   ◊ VIGO

Words Ending "X"

```
B  L  S  Y  X  N  F  P  X  R  K  T  M
V  E  X  A  D  X  S  A  D  I  E  U  X
B  T  A  V  R  B  F  X  R  A  R  B  Y
T  T  V  U  F  D  U  X  G  E  K  C  N
M  E  L  H  X  W  O  C  X  A  P  E  X
U  R  P  E  L  K  G  N  X  R  X  O  A
X  B  V  T  J  X  Y  X  Y  X  F  X  U
T  O  X  Y  O  E  M  X  X  X  Y  N  P
I  X  O  O  R  T  H  O  D  O  X  R  X
U  B  G  M  E  M  T  G  W  M  T  I  O
X  S  A  P  P  E  N  D  I  X  M  C  R
S  N  E  X  D  S  Q  F  U  D  A  L  E
X  D  I  O  X  C  I  C  A  T  R  I  X
Z  C  X  J  X  O  M  M  U  L  X  A  Q
X  O  N  I  U  Q  E  E  X  S  T  O  X
```

◊ ADIEUX

◊ ADMIX

◊ APEX

◊ APPENDIX

◊ BEAUX

◊ CICATRIX

◊ DETOX

◊ EQUINOX

◊ LETTERBOX

◊ LUMMOX

◊ MANX

◊ MARX

◊ MUREX

◊ ORTHODOX

◊ ORYX

◊ SARDONYX

◊ SEMTEX

◊ XEROX

```
W Z N F O N D C T K M U M
G W Z F E K I R T S M O P
T N H Q Z C R D K G V R W
P A A C I L I Y R C E E D
D U E L N O N M U S A Y X
G E C B C U G T O U C R M
O F T X L T R U H O P T C
P X N O Y P N C S R B A Y
N G G F N D L R F B A X S
I N E Q F A E J I C Y S K
F L C H T D T S P G L L H
H N C T N B M E H G K A L
G V E U W A A N L O Z K P
O R H Z S L F S Y T T B U
Q T I H M A T H H D Y E S
```

◊ BASH   ◊ CLOUT   ◊ RING

◊ BEAT   ◊ CRACK   ◊ SHOT

◊ BOOM   ◊ CRUNCH   ◊ SMASH

◊ CLANG   ◊ DETONATE   ◊ STRIKE

◊ CLAP   ◊ PEAL   ◊ THRASH

◊ CLATTER   ◊ RESOUND   ◊ THUNDER

"SWEET" Words

```
C J T F G N I L L E M S Y
S T A E M N U C I C E L Y
D G N I D N U O S W F X L
J S V K G Y R C A I R L Y
O I F I B A H T B B Z G M
O U U R N E E S A N W M N
I P I G S R P C B G S S F
Q A E T U I E C Y C G S D
R T N T L E I D L N Y I E
B U A S B H J I I E R B J
T L L G T K E H X C R Z M
K X M O I S T A G J E H Y
H O O G Y O P T R J H L P
Q T N H N T Y O F T S M C
K J D C R X V X T F U H Z
```

◊ ALMOND   ◊ HEART   ◊ SMELLING

◊ BASIL   ◊ LIPS   ◊ SOUNDING

◊ BRIAR   ◊ MEATS   ◊ SPOT

◊ CHESTNUT   ◊ NOTHINGS   ◊ TALK

◊ CICELY   ◊ ORANGE   ◊ TOOTH

◊ CIDER   ◊ SHERRY   ◊ WATER

Ropes

```
Y  M  W  C  C  T  Q  W  E  B  F  A  R
Y  U  G  A  W  H  F  R  M  Q  D  T  E
D  O  T  B  E  T  O  W  R  O  P  E  N
S  O  C  L  X  M  A  B  W  E  U  T  N
F  E  C  E  A  K  P  N  B  S  P  H  U
R  P  K  K  C  O  H  Q  P  L  A  E  R
L  R  C  E  L  A  C  F  Z  W  E  R  X
O  A  A  X  U  I  S  N  S  R  D  G  G
H  O  W  L  Y  T  N  E  H  N  U  C  N
W  G  N  J  A  K  R  E  A  G  N  A  V
W  A  F  I  K  Z  V  R  K  O  E  N  C
X  I  R  T  Z  K  T  I  S  O  F  R  O
X  A  D  L  A  S  S  O  T  Q  N  B  R
L  L  A  D  B  K  E  T  A  G  L  P  D
L  D  Y  U  Y  X  P  O  Y  W  A  R  P
```

◊ CABLE   ◊ HAWSER   ◊ STRAND

◊ CORD   ◊ HOBBLE   ◊ TETHER

◊ DOCKLINE   ◊ LARIAT   ◊ TOW ROPE

◊ DOWNHAUL   ◊ LASSO   ◊ VANG

◊ GUY   ◊ RUNNER   ◊ WARP

◊ HACKAMORE   ◊ STAY   ◊ WIDDY

Shells

```
S P V R E Z Z Z C H N C R
O T A T G J N T C E J O Q
O T O G I E C N Q N Z N F
S O C N L Q O L V A E E E
Z J G O E C W A R V L P L
T L S F J L R N R B K I L
E T G E I F I E W J N D E
T M E Z W J E L S H I D H
S U L I T U A N Y E W O S
P I R W R H M N J L I C N
T B Z T F L N L I M K K R
O E N O L A B A T E G T O
O J P I W E N F L T N W H
T V O Q O S E P X E X J Y
H E T I L U M M U N R P M
```

◊ ABALONE   ◊ JINGLE   ◊ SOLEN

◊ CONCH   ◊ NAUTILUS   ◊ STAR

◊ CONE   ◊ NUMMULITE   ◊ STONE LILY

◊ COWRIE   ◊ PIDDOCK   ◊ TOOTH

◊ HELMET   ◊ RAZOR   ◊ TURTLE

◊ HORNSHELL   ◊ SNAIL   ◊ WINKLE

```
A C L P S G H D S Y O X N
E N J R E T T U C B A P R
T A I O E T R A I L E R Q
N X X M R A R S M V M U S
T S Q P A T D J Y L A U T
N S S T X T F E I X K J A
P R I E T X O G R K E F N
I Y A D R W H R U P U B D
R A H I R T T H L Z P R I
G R J R S O C B U Y E R N
Y S C E N I C A R T I S T
L R U C J C Z E E D F W S
L N B T N A M A R E M A C
O P R O D U C E R P J T Y
D L M R N A M E L B A C Q
```

◊ ACTRESS

◊ ANIMATOR

◊ BUYER

◊ CABLE MAN

◊ CAMERAMAN

◊ CUTTER

◊ DIRECTOR

◊ DOLLY GRIP

◊ EXTRA

◊ LIGHTS

◊ MAKEUP

◊ PRODUCER

◊ PROMPT

◊ READER

◊ RECORDIST

◊ SCENIC ARTIST

◊ STAND-IN

◊ TRAILER

Sculpting Materials

```
G V V F B J L R J O A P G
X M H G S V E Y T M E U X
M A D E C P C R B L W O E
N A W N P W Q E B B H W T
D L V O R Q R R I E E E
X A C T S S A L G P R G R
J B F S G M L W S R U O C
L A T E M O I M A S U Y N
I S L M U R L C F F A K O
F T X I E N O D N L J R C
T E M L H T P H C T T A B
T R I K T D M B A S A L T
E C F A O N H R A J F I R
C K P O C G U L O V S F F
S B W F G R A N I T E T J
```

◊ ALABASTER   ◊ COPPER   ◊ MARBLE

◊ AMBER   ◊ GLASS   ◊ METAL

◊ BASALT   ◊ GOLD   ◊ TERRACOTTA

◊ BRASS   ◊ GRANITE   ◊ WAX

◊ CLAY   ◊ IRON   ◊ WIRE

◊ CONCRETE   ◊ LIMESTONE   ◊ WOOD

Bread

```
C Q Z F A Z Q J U N E V O
R S W G O L Y F E H G Y F
S T I C K K L K Y D M P R
K F E Q N O V T B G G K Q
M W B E U K C H N T T T T
A G A R L I C I N X A T S
R D C S S A S D P Y E K C
R O K U L I Q D V Z H F V
A N I A R G E L O H W M T
Q S V H Y S Q H W Y I S W
U L M K Q O I H R L A X L
E L G C N Z I E L E E N W
T O S W N T K E Y T A T T
A R S I E A R C R U S T Y
X J T V B M X N W A H V P
```

◊ BAKERY

◊ CRUSTY

◊ FLOUR

◊ GARLIC

◊ KNEAD

◊ MARRAQUETA

◊ MATZO

◊ MILLER

◊ OVEN

◊ RISING

◊ ROLLS

◊ RYE

◊ STICK

◊ WHEAT

◊ WHITE

◊ WHOLE-
  GRAIN

◊ YEAST

◊ ZWIEBACK

In the Air

```
C N B W M E K U G I E G R
Q R P L B W K B U B B L E
N T A A I G H O A V E P K
W H H D R A W S M F S C M
U N L G I A R P T S D E N
J K E H I O C T M P U W F
B E T G C L W H N I O L S
F O Z K Y H O A U O L F Z
M F E E J X C R V T C B R
S T G Z S M O G C E E O I
H T E E A J Q K R I S Z O
S A O E W H I X R T M O W
O Z M R X T U A S M I S T
U L A B E K X U O M R U K
E D I X O I D N O B R A C
```

◊ BLIMP

◊ BREEZE

◊ BUBBLE

◊ CARBON
 DIOXIDE

◊ CLOUDS

◊ CONTRAIL

◊ DUST

◊ HAZE

◊ KITE

◊ MICROLIGHT

◊ MIST

◊ MOTH

◊ OXYGEN

◊ PARACHUTE

◊ RADIO WAVES

◊ ROCKET

◊ SMOG

◊ SMOKE

Brave

```
F D N Z K Y U X D R A D N
J Y N H O W T X E Y T A R
L Y K C U L P S T U C U J
E S G N I H C N I L F N U
T E T D W H L F R E F T H
U M J O E E I B I C F L H
L A S E U L R R P N T E J
O G K J K T S A S N H S K
S Y J B S T H Z Y O X S X
E U O D O E R E H D Z Z E
R L V I A M F N A S R M L
D T C H E R O I C R A A B
B A R G P E I U J N T S H
L V Y G A O E N L V E E X
T N A L L A G Y G U T O D
```

◊ BOLD

◊ BRAZEN

◊ CHEEKY

◊ DARING

◊ DAUNTLESS

◊ FEISTY

◊ GALLANT

◊ GAME

◊ HARDY

◊ HEROIC

◊ MANLY

◊ METTLE

◊ PLUCKY

◊ RESOLUTE

◊ SPIRITED

◊ STOICAL

◊ STOUT-
   HEARTED

◊ UNFLINCHING

162   **Wales**

```
J  Y  R  Y  J  A  I  O  D  Q  U  S  K
N  M  D  C  J  G  A  V  K  S  V  I  Q
A  E  R  R  S  H  C  E  L  M  O  R  C
H  C  A  O  E  U  E  J  E  E  K  R  Z
C  K  G  N  T  A  G  V  E  Y  A  O  J
Y  C  O  J  N  K  M  L  K  J  D  C  J
S  X  N  T  E  T  A  L  S  V  F  L  U
R  D  E  X  W  C  N  L  A  F  O  S  S
E  K  R  Y  G  Y  H  L  I  U  W  O  V
B  S  R  A  T  K  L  D  C  A  A  E  F
A  I  H  P  B  E  R  E  N  K  O  F  P
V  L  Y  C  Y  A  L  S  D  K  A  M  C
Y  G  L  S  C  T  E  A  P  T  D  Q  K
Q  R  C  B  I  A  L  Z  T  F  N  X  T
S  N  O  C  A  E  B  N  O  C  E  R  B
```

◊ ABERSYCHAN   ◊ CROMLECHS   ◊ RHYL

◊ BARDS   ◊ DRAGON   ◊ SLATE

◊ BRECON
   BEACONS   ◊ GWENT   ◊ SWANSEA

                ◊ LEEKS   ◊ TAFF

◊ CARDIFF   ◊ MAERDY   ◊ USK

◊ CELTIC   ◊ OAKDALE   ◊ VALLEYS

◊ CORRIS

Late

```
O U D X P O D R E T F A L
L P L S P E U R I B N S Q
F E V Q F U S K Y Q A H F
A S H U R T F O D D G V Y
I L N N W E U D R E V O J
W C A H E R D T A H O C R
T O I N D H I S T O R I C
F L L D T E T B E H I N D
E A K S E I L O Y D X Q S
O U L O D P Q A E P U C L
Y U S L B F A U Y D A U A
F O R M E R J R A E O S T
S B Y G O N E Z T T D G T
N P L L N W P K M E E O E
D Z U D E S A E C E D D R
```

◊ AFTER   ◊ DEFUNCT   ◊ HISTORIC

◊ ANTIQUATED   ◊ DELAYED   ◊ LATTER

◊ BEHIND   ◊ DEPARTED   ◊ OVERDUE

◊ BYGONE   ◊ ERSTWHILE   ◊ SLOW

◊ BYPAST   ◊ FALLEN   ◊ TARDY

◊ DECEASED   ◊ FORMER   ◊ THEN

164 Famous Men

```
S D O O W T L O B L R B Y
P A P J H B M E G G A T J
Q G R M D O Y C D J B M I
S P P O U N W R Q N K I J
G C T E G R Y M O E A C N
I T L Q D A T Y Z N L H Y
K Y E L L E H S I I V E W
N I V L E K A T S A O L F
G V E O E I N T Y P E A S
P N S L J A E S G P F N X
Q K O U E R T R A S A G L
J U O D G H U K N A G E G
S J R A E M T J D A R L P
Z M O I O Z U J H M L O U
X E N O T S G N I V I L G
```

◊ AKBAR

◊ BOLT

◊ BYRON

◊ GANDHI

◊ HANDEL

◊ KELVIN

◊ LISTER

◊ LIVINGSTONE

◊ MICHEL-
  ANGELO

◊ PAINE

◊ PYTHAGORAS

◊ ROOSEVELT

◊ SARTRE

◊ SHELLEY

◊ TRUMP

◊ TUTU

◊ WOODS

◊ ZEDONG

Islands of Greece

```
E  R  X  T  C  S  N  V  I  S  K  Q  K
M  Q  N  Q  O  T  N  R  P  S  V  I  K
M  Q  F  R  F  Y  U  A  H  R  M  H  A
G  M  D  C  U  O  T  Q  C  O  T  T  E
Q  N  J  X  D  R  U  S  L  B  D  L  P
A  L  F  A  O  K  G  O  Z  D  A  E  M
I  Z  M  K  Y  E  S  A  Z  S  B  K  S
R  R  L  N  N  A  Z  H  A  O  L  F  S
G  O  C  E  P  H  A  L  O  N  I  A  C
U  M  B  W  T  H  I  O  S  M  G  A  S
O  V  R  X  P  W  C  Z  P  E  Y  L  I
S  I  R  A  R  E  N  O  K  L  A  F  F
T  O  K  S  H  H  R  A  H  F  R  J  N
I  X  H  O  X  O  J  T  B  V  O  Q  O
K  F  F  B  S  O  E  K  K  A  S  O  S
```

◊ ANDROS   ◊ KASOS   ◊ PATROKLOU

◊ CEPHALONIA   ◊ KEA   ◊ POROS

◊ ELASA   ◊ KIMOLOS   ◊ RHODES

◊ FALKONERA   ◊ KOS   ◊ ROMVI

◊ GYAROS   ◊ LEMNOS   ◊ SIFNOS

◊ IOS   ◊ MADOURI   ◊ TSOUGRIA

"FREE" Words

```
S T S Y B I A B N C T T A
C P T W R A J P P J O N E
E S I R P R E T N E I E G
W A Y R E Q I L J Q Q G L
H A M A I B O R N N G A G
C Y C S Z T A K M N I V J
N P S S T D U U I C U E T
U Q Z O I Y O L W O H R R
L W D C X I L V F O A S Z
J I A I J A E E B D R E V
W L Q A F M S J E K L L Y
S L T T K P U W E M J O D
O M F I T G O L S U I Z F
S B C O F C H A R G E T D
Z K Y N Y N E E M V X P X
```

◊ AGENT   ◊ KICK   ◊ STYLE

◊ ASSOCIATION   ◊ LUNCH   ◊ TIME

◊ BORN   ◊ OF CHARGE   ◊ TRADE

◊ ENTERPRISE   ◊ RADICAL   ◊ VERSE

◊ FALLING   ◊ REIN   ◊ WILL

◊ HOUSE   ◊ SPIRIT   ◊ WORLD

```
H W G N E E U N D V B U R
N V M L D Y Y S A I W D C
C W F E D R U N V F L A O
S U O I R O B A L H H O N
D J R D I J O N M E L O S
U F C R G B H M A F E A E
R Q E O Y N A T E T V S Q
B S F I Y S I O V Y A A U
M U U L S D M R L A R G E
I D L I R G L U A A G J N
G O V K S Y N E L E V U T
H E A C Y P V I I C B I I
T Q Y I U P N A X W R Q A
Y V R G L A R F E A N O L
E V I T A T I R O H T U A
```

◊ AUTHORI-TATIVE

◊ BEARING DOWN

◊ BULKY

◊ CLUMSY

◊ CONSE-QUENTIAL

◊ FORCEFUL

◊ GRAVE

◊ HEAVY

◊ HEFTY

◊ LABORIOUS

◊ LARGE

◊ MASSIVE

◊ MIGHTY

◊ SERIOUS

◊ SOLEMN

◊ SOLID

◊ TAXING

◊ UNWIELDY

Middle "C"

```
C H C A O C W O L S X F L
C V A C C I N E S O C O Y
T M N C N N M U S A C A O
E D A K I L O C Y C L E C
H C N T O I G C A L C S O
C S L C C T S I M A I S A
T K R A O H F X U R C S A
A N V H A N E N I C S U K
R I E C C E C D C E A O I
V O K C D C L E L N V I T
L L G U S E A C A Y O C C
E W E B C A S T C L C A H
N E L K C U N K C T A R E
L C O L M C C R Y S D E N
O R E I C A L G S T O V L
```

◊ AVOCADO ◊ KNUCKLE ◊ SHACKLE

◊ CALCIUM ◊ LARCENY ◊ SLOWCOACH

◊ CONCEAL ◊ MATCHED ◊ VACCINE

◊ GLACIER ◊ MUSCLES ◊ VERACIOUS

◊ KILOCYCLE ◊ NASCENT ◊ VIVACIOUS

◊ KITCHEN ◊ RATCHET ◊ WEBCAST

"R" Words

```
R E R M L R H E T O R I C
J D W R E N O I R I F L E
R I R G R E B O U N D L E
P C D O R A R R M F Z D R
Y I R J S U B O H Z E L O
R T R I R A S C A L R R I
S N S R D O R R B B O K L
A E Y U U I A Y A U T A T
R D R F R U N N E R C T O
R O R R C E D G D I I P R
O R N R A B P Q D A R L E
C R L E L R C A R I T R R
K A S C I H R D E C S N P
E R O T A N O S E R E M E
T H E R R A Y L L A R U R
```

◊ RADICAL   ◊ RESONATOR   ◊ ROCKET

◊ RASCAL   ◊ RESTRICTOR   ◊ RODENTICIDE

◊ RAZZLE   ◊ RHETORIC   ◊ ROSARY

◊ REAPER   ◊ RIDGE   ◊ RUNNER

◊ REBOUND   ◊ RIDING   ◊ RURALLY

◊ RENOIR   ◊ RIFLE   ◊ RUSTY

170   Horse Breeds

```
X  D  E  W  Q  N  S  K  R  Y  N  L  A
C  N  U  O  F  O  S  I  O  X  U  A  K
S  W  I  E  L  K  O  P  O  L  S  K  I
D  R  E  L  Z  O  A  G  A  T  H  A  S
E  C  O  C  A  T  L  R  U  I  E  D  I
E  L  Y  O  M  A  M  R  A  D  T  S  A
U  I  C  Y  Z  O  I  K  I  B  L  H  I
A  Z  K  G  R  A  O  O  E  E  A  E  A
Z  V  U  A  N  L  K  I  N  F  N  I  R
D  D  B  N  S  A  D  A  O  E  D  H  R
J  U  L  X  Y  I  I  T  X  P  P  E  O
F  P  M  I  B  A  M  L  W  C  O  E  S
J  R  M  O  E  N  Y  A  Y  R  N  U  A
A  Q  O  N  I  S  O  L  C  Q  Y  D  L
Y  E  N  K  C  A  H  T  A  V  E  A  S
```

◊ ALTAI

◊ ASTURIAN

◊ AUXOIS

◊ HACKNEY

◊ HEIHE

◊ IOMUD

◊ KARABAIR

◊ LOKAI

◊ LOSINO

◊ MISAKI

◊ MIYAKO

◊ MORAB

◊ MOYLE

◊ NOKOTA

◊ SHETLAND
   PONY

◊ SORRAIA

◊ UZUNYAYLA

◊ WIELKO-
   POLSKI

```
N C S P A L E X L N S H A
A L O D O T Z O K C E G N
M Z B B H I E H L D E W S
Y E V P R A E I E I T R T
A Y I O D A X L K E L D E
C Q P D F L T O G V J L L
E T E N K R O U L L F W L
K R R S U M E S F O W V I
A V R T A X I D K X T I O
N Y D M I L L A B I O L N
S S B N O O N T I E N A T
K A R A T A U T L O L K A
C M W W U P A N R T E L K
O L E G P L I Z A R D R Y
R B I O S Q K O I T V T R
```

◊ ADDER   ◊ IGUANA   ◊ SKINK

◊ AXOLOTL   ◊ LIZARD   ◊ STELLION

◊ CAYMAN   ◊ MAMBA   ◊ TEGUEXIN

◊ COBRA   ◊ NEWT   ◊ TUATARA

◊ ELAPS   ◊ REDBELLY   ◊ TURTLE

◊ GECKO   ◊ ROCK SNAKE   ◊ VIPER

Exciting Words

```
B E I S J S R S D L Y K U
W R R E T A T I G A A N P
E D U I S X S L J O W N C
S N U N F T E J I L S C L
A E R I U P T I N C I T E
E A T R M E I G N I T E H
T V B I L A L D J H T F Y
P R O E T A T I C S U S S
I W P M M I O M I L D Y T
B J I U O Q L O T V C M E
Q K D N K C P L N Q D O R
W D O A D R D D A O G L I
O C D Z G U E I R T Q Y C
O E A T N T P P F K E S A
H G M E M A L F A O E U L
```

◊ AFLAME   ◊ HYSTERICAL   ◊ PROD

◊ AGITATE   ◊ IGNITE   ◊ SUSCITATE

◊ DISTURB   ◊ IMPEL   ◊ SWAY

◊ FIRE   ◊ INCITE   ◊ TEASE

◊ FRANTIC   ◊ MOVE   ◊ TITILLATE

◊ GOAD   ◊ PERK UP   ◊ WIND UP

Countries of Asia

```
Z  R  S  D  N  Q  O  T  N  O  M  A  N
A  S  U  I  A  L  N  O  T  J  V  N  A
J  M  A  S  T  N  D  P  S  E  N  I  W
O  P  P  R  S  R  R  O  J  Q  N  H  I
G  A  M  A  Z  I  A  E  A  I  M  C  A
R  T  A  E  Y  L  A  R  L  F  S  N  T
X  E  N  L  G  A  I  R  Y  S  P  H  J
C  Z  T  M  R  N  K  I  R  A  A  Y  E
R  E  E  D  Y  S  A  I  X  I  K  X  S
T  Z  I  R  K  N  L  P  L  D  I  L  C
D  E  V  L  K  A  Y  A  A  Q  S  L  R
I  Y  D  K  N  M  N  E  A  J  T  T  Y
E  R  I  K  U  D  E  T  M  U  A  B  S
I  Q  A  G  X  I  A  K  K  E  N  Y  E
A  I  D  N  I  R  E  Y  H  O  N  B  U
```

◊ CHINA   ◊ KYRGYZSTAN   ◊ SRI LANKA

◊ INDIA   ◊ LAOS   ◊ SYRIA

◊ IRAN   ◊ OMAN   ◊ TAIWAN

◊ IRAQ   ◊ PAKISTAN   ◊ THAILAND

◊ ISRAEL   ◊ QATAR   ◊ VIETNAM

◊ JAPAN   ◊ RUSSIA   ◊ YEMEN

Girls' Names

```
L S N A X H H P E N N Y R
N A O J A E Z L O M S S J
D M U N C D V R S J A F S
A A N T O I N E T T E E M
N N E Y R N F O R F L B O
I T R A S I S A T S W L C
E H Y R C J C E C O M Q U
L A S M F E R S S R R D T
L R F B Y A P H P J L E C
E O J E G T S V L F U A L
E D N R T M O A L K N N E
T J A A I N E X L D E N E
P M A I L U J R I L S A B
S A L L I M A C Y B Y X E
O E Z X A W E Z P L N S G
```

◊ ANTOINETTE   ◊ ELVIRA   ◊ NERYS

◊ CAMILLA   ◊ JOAN   ◊ PENNY

◊ CANDICE   ◊ JULIA   ◊ SALLY

◊ DANIELLE   ◊ JUNE   ◊ SAMANTHA

◊ DEANNA   ◊ MARGARET   ◊ TRACEY

◊ DORA   ◊ MERYL   ◊ XENIA

Affirm

```
X Y I I W L E D R O C B C
C N Q K I O X J S S O W V
V O R L C G V U G M O R E
N E R W P I P A A I I T D
P N O R R P E R A L C E D
N D R S O U R E S A H R Z
V O A R F B D O R T D S E
N R T S E I O V T G A I G
N S I T S T E R O E A T D
K E F T S R R V A U S W E
V C Y Z U E S E V T C T L
Q Q E S I W T S S R E H P
S L N H E O T T E S A X K
U E L A C I W V A Y A I T
R Y R Q E O A O I S D A S
```

◊ AGREE

◊ ASSERT

◊ ATTEST

◊ AVER

◊ AVOW

◊ CHECK

◊ CORRO-
  BORATE

◊ DECLARE

◊ ENDORSE

◊ ENSURE

◊ PLEDGE

◊ PROFESS

◊ PROTEST

◊ RATIFY

◊ STATE

◊ SUPPORT

◊ SWEAR

◊ VOUCH

Transport

```
I  Q  I  P  A  Z  U  T  L  A  E  Y  L
L  S  T  L  E  L  W  S  G  O  L  M  W
B  E  R  H  A  D  I  A  T  Q  C  H  Y
S  G  M  N  C  Q  A  P  O  Y  Y  Y  H
L  A  D  A  P  A  C  L  B  H  C  D  S
F  A  N  T  C  H  Y  O  O  Y  I  R  H
U  O  U  A  V  A  A  H  G  N  B  O  S
E  S  B  N  E  T  D  E  G  F  N  F  B
N  L  Y  D  C  V  O  H  A  T  R  O  A
Q  D  U  E  R  H  Y  D  N  Z  C  I  L
M  O  Q  M  A  E  L  L  E  T  A  L  L
N  T  Z  V  A  W  T  R  O  N  R  Q  O
W  H  E  R  R  Y  U  T  X  Y  N  U  O
Z  D  R  E  T  P  O  C  I  L  E  H  N
S  F  N  N  V  Q  A  J  A  L  O  P  Y
```

◊ BALLOON	◊ HELICOPTER	◊ MULE
◊ BICYCLE	◊ HYDROFOIL	◊ PEDALO
◊ BOAT	◊ JALOPY	◊ TANDEM
◊ CAMEL	◊ LANDAU	◊ TOBOGGAN
◊ CANOE	◊ LAUNCH	◊ WHERRY
◊ DINGHY	◊ LITTER	◊ YACHT

```
I  L  Z  P  L  R  N  Y  S  S  I  N  J
O  S  R  S  U  M  M  I  T  O  I  S  W
O  C  E  M  D  A  R  X  H  S  R  A  T
B  L  V  E  O  L  N  J  A  O  I  R  T
A  U  E  X  H  O  A  J  F  M  T  A  Y
T  E  R  D  M  C  O  K  Q  R  E  E  R
A  D  S  S  Q  I  R  F  S  E  L  A  L
C  O  I  U  Y  R  T  A  N  I  K  V  N
T  Q  I  K  A  G  V  N  P  L  R  T  Q
N  R  T  O  H  A  A  I  T  C  I  W  N
E  E  T  L  T  R  E  T  S  I  W  T  J
N  N  C  B  Z  I  W  C  F  K  Q  D  Z
K  O  O  A  E  D  O  W  N  F  A  L  L
A  C  I  X  E  M  V  A  S  A  L  J  D
B  E  N  N  O  S  S  A  C  R  A  C  G
```

◊ ACQUIRE	◊ HOTEL	◊ RISK
◊ AGRICOLA	◊ LUDO	◊ SORRY!
◊ BLOKUS	◊ MEXICA	◊ SUMMIT
◊ CARCAS-SONNE	◊ PARCHEESI	◊ TABOO
	◊ QWIRKLE	◊ TWISTER
◊ CLUEDO	◊ REVERSI	◊ YAHTZEE
◊ DOWNFALL		

Body Language

```
S  B  C  T  A  P  T  M  F  P  F  L  O
E  L  E  T  A  L  U  C  I  T  S  E  G
E  V  V  O  U  R  T  U  N  W  O  R  F
C  P  N  R  T  O  E  N  D  M  H  Y  A
E  G  O  M  U  E  P  W  I  D  V  W  I
P  V  O  M  L  N  G  A  O  O  V  B  U
X  R  T  O  U  C  H  D  E  C  P  E  A
V  S  I  S  A  U  E  L  I  M  S  N  R
X  M  N  W  I  I  B  O  A  F  S  D  E
U  F  I  L  N  M  F  L  U  U  W  H  J
B  N  R  W  E  S  Y  I  E  L  G  B  K
K  R  G  R  D  O  I  H  D  I  O  H  C
S  S  T  R  E  T  C  H  S  D  L  S  F
E  R  A  L  G  B  S  F  W  R  L  X  X
F  N  G  A  T  E  D  T  A  E  E  E  N
```

◊ BEND   ◊ GLARE   ◊ SIGH

◊ COWER   ◊ GRIN   ◊ SMILE

◊ FIDDLE   ◊ LAUGH   ◊ STRETCH

◊ FIDGET   ◊ MOPE   ◊ TOUCH

◊ FROWN   ◊ POINT   ◊ TREMBLE

◊ GESTICULATE   ◊ POUT   ◊ WINK

Famous Golfers

```
A Y C P R S P Q I N Q A D
C J V R M Y Q E I S W V O
V A O M N T L W R S E B O
R H L N S Y R A J I I L E
M T L C L I U A D L R U K
O O I Y A T M C I L R O Y
N O S E I V A D W A G J R
T O K N N E E R G B R O U
G W R R O D I C L T T A F
O A L M Q D V T C O I P E
M F O C A Q R L M H E N K
E L K E I N U A N U I S C
R H N T T O K G V U O A O
I S N T R O L A Z A B A L
E R N O T T U S G N N N H
```

◊ ALLISS

◊ CALCA-
  VECCHIA

◊ DALY

◊ DAVIES

◊ FURYK

◊ GREEN

◊ IRWIN

◊ LOCKE

◊ LYLE

◊ MCILROY

◊ MONT-
  GOMERIE

◊ NORMAN

◊ OKAMOTO

◊ OLAZABAL

◊ SNEAD

◊ SUTTON

◊ VARDON

◊ WEIR

180   In the Past

```
S  I  O  W  O  U  T  W  O  R  N  A  T
Y  D  D  L  E  L  O  N  G  G  O  N  E
A  O  D  E  D  B  K  U  O  N  I  C  L
D  U  E  C  P  T  A  E  R  L  I  I  Y
D  T  A  G  D  A  I  C  R  S  S  E  A
L  O  N  N  L  O  R  M  K  O  S  N  E
O  F  T  R  O  S  Q  T  E  T  F  T  P
D  D  E  R  F  U  M  N  E  S  H  E  V
O  A  C  Q  O  J  L  R  S  D  A  E  B
O  T  E  N  S  N  Y  T  Y  R  M  N
G  E  D  F  Y  E  O  E  L  O  V  I  N
T  A  E  K  A  A  N  I  R  T  G  T  V
M  X  N  R  D  Z  E  E  O  N  G  E  R
R  Y  T  R  U  R  F  B  Y  G  O  N  E
A  R  C  H  A  I  C  S  S  U  T  O  Y
```

◊ ANCIENT

◊ ANTECEDENT

◊ ARCHAIC

◊ BACK THEN

◊ BEFORE

◊ BYGONE

◊ DAYS OF OLD

◊ DEPARTED

◊ EARLIER

◊ GOOD OLD DAYS

◊ LONG-GONE

◊ OLD TIMES

◊ ONE-TIME

◊ OUT-OF-DATE

◊ OUTWORN

◊ QUONDAM

◊ YESTERYEAR

◊ YORE

Perfume

```
J  I  A  M  O  R  A  A  W  R  S  S  D
A  N  N  A  E  G  D  D  N  A  E  E  S
T  M  L  F  T  N  E  C  S  I  I  C  S
Z  H  B  J  U  R  Z  C  X  N  L  I  Z
S  I  Z  E  L  S  O  W  N  C  I  P  L
E  A  J  K  R  A  I  S  O  E  L  S  L
E  Z  N  N  T  G  R  O  E  N  S  K  A
H  N  S  D  Y  E  R  O  N  S  D  S  V
W  I  I  K  A  Y  U  I  L  E  S  U  E
A  I  B  M  T  L  M  Q  S  F  N  M  N
X  A  D  I  S  D  W  P  U  G  D  K  D
Y  B  U  E  S  A  C  O  L  O  G  N  E
S  R  T  W  O  C  J  D  O  Q  B  O  R
F  G  E  N  W  A  U  T  E  D  O  H  E
N  Q  I  I  B  H  H  S  Q  N  A  B  V
```

◊ AMBERGRIS   ◊ FRUITY   ◊ LILIES

◊ AROMA   ◊ HIBISCUS   ◊ MUSK

◊ BOUQUET   ◊ INCENSE   ◊ ROSES

◊ COLOGNE   ◊ INFUSION   ◊ SANDALWOOD

◊ ESSENCE   ◊ JASMINE   ◊ SCENT

◊ FLORAL   ◊ LAVENDER   ◊ SPICES

Sports Venues

```
U F N O L M U E S I L O C
N L I S T S K R V R I M A
D E M I C Q K X A E I C R
O E D L D S A I M N A L I
T E Q R E Y G P J G G M E
S B M F A L A M E U N E L
Q C J O I G V W H P M K Q
L C W V R E E Y D Z S P U
K O O B I D L A C E I Q J
A N O K G D O D R G E L I
L W I P W H D P E I P P H
L S H R A Y R Y P A N C S
E R D L K N O Y R I A G R
Y D L M N Z M K O E H Q L
N C Q R E T E B B P N Y W
```

◊ ALLEY   ◊ GARDEN   ◊ RANGE

◊ BEACH   ◊ HALL   ◊ RING

◊ BOWL   ◊ HIPPODROME   ◊ RINK

◊ CAGE   ◊ LISTS   ◊ SKI JUMP

◊ COLISEUM   ◊ PARK   ◊ SPEEDWAY

◊ FIELD   ◊ POOL   ◊ VELODROME

Ports of the World

```
E A Q Y L J R F L M I H J
N B N E A A U A Q A I B W
G A F R C R E B I L A O C
O Q R V R A A R I D K C A
L A S A E O E I T L A O D
U T D H N P T S X N S I I
O T P E T N P T N H O I Z
B J G L R U F O E E U M A
F P Y A L N O L P R D L O
O Q E E E Q M H S D O L
J U I P N J S E S E A A N
U R E V O D L X O T F D M
I G U R T Y Y Q J N R I Z
I A H G N A H S C A I O B
S D I E C L U S D N Y S P
```

◊ ACRE

◊ AQABA

◊ BOULOGNE

◊ BRISTOL

◊ CADIZ

◊ COBH

◊ DOVER

◊ GENOA

◊ HULL

◊ LE HAVRE

◊ MONTREAL

◊ NANTES

◊ ODENSE

◊ OSAKA

◊ PORTSMOUTH

◊ ROTTERDAM

◊ SHANGHAI

◊ SYDNEY

Animal Farm

```
L  E  I  N  O  D  D  A  E  G  A  O  E
C  N  Y  O  Y  O  D  E  R  A  S  D  P
O  O  E  E  O  R  A  K  I  E  L  N  I
S  L  M  W  K  B  O  S  B  L  X  X  L
K  Q  X  M  A  N  H  J  I  B  L  O  N
I  O  U  W  A  N  I  M  A  L  S  O  B
F  H  L  E  A  N  D  P  U  M  D  Y  M
P  U  L  P  A  N  D  Y  L  R  D  R  X
I  M  G  L  I  L  E  M  Y  B  I  L  V
A  A  C  W  A  G  E  D  E  U  V  E  O
R  N  S  Z  Z  B  S  R  D  N  Q  C  L
F  S  G  W  L  L  W  O  S  F  T  N  A
S  E  S  R  O  H  G  O  V  Q  H  S  T
Y  M  O  S  E  S  A  T  N  S  B  P  L
R  E  V  O  L  C  J  E  S  S  I  E  I
```

◊ ANIMALS

◊ BOXER

◊ CLOVER

◊ COMMAND-
 MENTS

◊ DOGS

◊ FOXWOOD

◊ HORSES

◊ HUMANS

◊ JESSIE

◊ MOLLIE

◊ MOSES

◊ MURIEL

◊ OLD MAJOR

◊ PIGS

◊ PINKEYE

◊ SNOWBALL

◊ SQUEALER

◊ WINDMILL

Printworks

```
F  S  C  J  Y  S  B  O  O  K  S  W  Y
L  D  K  U  E  R  S  O  S  T  Y  L  E
N  J  T  G  E  I  D  E  U  T  E  X  T
Y  I  A  N  X  H  P  D  P  T  N  K  A
K  M  N  S  F  P  I  C  T  U  R  E  L
I  D  E  M  S  O  V  E  I  C  E  S  P
R  L  N  S  K  E  R  G  F  X  P  G  R
T  M  A  R  K  H  C  G  U  I  R  R  E
S  S  E  A  E  F  O  O  R  P  O  E  P
D  E  A  A  L  I  N  O  R  S  V  P  P
C  E  D  U  O  T  O  N  E  P  S  A  O
S  T  E  L  F  A  E  L  R  S  S  P  C
S  I  L  K  S  C  R  E  E  N  I  R  J
I  W  V  M  D  O  R  R  S  I  U  Z  W
R  S  E  G  A  P  P  S  I  Z  A  H  Z
```

◊ BOOKS

◊ COPPER-
   PLATE

◊ DUOTONE

◊ IMAGES

◊ LEAFLETS

◊ LETTERHEAD

◊ MARK

◊ PAGES

◊ PAPER

◊ PICTURE

◊ PRESS

◊ PROCESS

◊ PROOF

◊ REPRO

◊ SILK SCREEN

◊ SPIRO

◊ STUDIO

◊ TEXT

Ancient Writers

```
T A C I T U S D I V O S J
D Y S U I T S Y R A C O Y
E L F N R E U Q Y J E T D
E I O A S O O T A L P I Q
D V K O F P S J U K E O S
S Y M E N O R T S F I N A
L U D P G M A L E J N C I
E O L O I O D M T T E Y H
P H I L A E N I S N C S T
E V Y E I D I R E E N U A
G E N N T T P S H O E N G
I O I E H E S I O D G I A
B A L K V Y G I A X L M N
S A P W I S O C R A T E S
S U I N O R T E P A O G J
```

◊ AGATHIAS   ◊ LIVY   ◊ PLATO

◊ ARISTILLUS   ◊ MOSES   ◊ PLINY

◊ CARYSTIUS   ◊ OVID   ◊ SENECA

◊ DEINIAS   ◊ PETRONIUS   ◊ SOCRATES

◊ GEMINUS   ◊ PHILAENIS   ◊ SOTION

◊ HESIOD   ◊ PINDAR   ◊ TACITUS

Druids

```
L S K L N N P S D R G W S
A T E F E E N E N F A T J
S L R I F D R C A M E M H
S D R J R C X R A O M O L
K O N C A O S E P R L U T
N H O S M A T T W L G W D
U R I H M H O S Y H T L I
E N T H O Y N O M E R E C
L A A N H N G O C O I N W
L I T M O D S I W G T X C
N R N W Y A G R R Y U T E
W A A D S A E O X G A E L
K T C V M H V N T S L V T
S R N T T E M P L E S O I
Q J I O S L E Y Q E D J C
```

◊ AMAETHON

◊ ARIANRHOD

◊ CELTIC

◊ CEREMONY

◊ GROVES

◊ HOLLY

◊ INCANTATION

◊ LUGH

◊ MAGIC

◊ OTHER-
   WORLD

◊ POETS

◊ RITUALS

◊ SACRED

◊ SAMHAIN

◊ SECRETS

◊ STORIES

◊ TEMPLE

◊ WISDOM

Words Derived from Italian

```
H L U P H N E A R L Y O S
U E Y V S L Y I L I N L M
T N A E I M N R T D A U H
A A R M M L Z O E Z Z Y S
E D C O R N L P V T N A E
V L A D I S L A E O T L B
A Y D Y K E W N C M L O A
R Z E E S R N L A X U O L
T A T N O U A N S X E G U
I C I J V B A A O O J I S
H N J P V G K S L T M D T
C G A Z E T T E E C T N R
R E T S A S I D A F M I A
A Y N O O T N O P A G K D
Q S O H Y E E T T O W A E
```

◊ ARCADE   ◊ DOME   ◊ PONTOON

◊ ARCHITRAVE   ◊ GAZETTE   ◊ SEPIA

◊ BALCONY   ◊ INDIGO   ◊ SKETCH

◊ BALUSTRADE   ◊ LOTTERY   ◊ SKIRMISH

◊ DISASTER   ◊ MANAGE   ◊ VILLA

◊ DITTO   ◊ OVOLO   ◊ ZANY

Operas

```
S F D I E S R E S X U L G
A I I K C E Z Z O W S E O
V F A U S T R M E D E E T
C T W S U U N R E B E N A
E V D D S H T M I N I O N
E G T A E H O L A N I R N
T X L M E L L C A O Y M H
A K H R A Y S T X D H A A
A N E S B O I P N N G O U
V I I U T R H P G C S K S
L G D C U J A R T K E L E
O D O P L Z I L B Z N T R
L N I X U A D M T H A I S
L P M I L T A Z B I O X D
S A E N E A D N A O D I D
```

◊ AIDA

◊ ALCINA

◊ BILLY BUDD

◊ DIDO AND
   AENEAS

◊ ELEKTRA

◊ FAUST

◊ I PURITANI

◊ LULU

◊ MEDEE

◊ NORMA

◊ RUSALKA

◊ SALOME

◊ SERSE

◊ TANNHAUSER

◊ THAIS

◊ TOSCA

◊ WERTHER

◊ WOZZECK

Rivers of the World

```
R R O S A I I A S I W E N
E A S E O T Y U E R M A S
D K E M N M D R F R Y R T
O G R A N N M R X D E A B
P Z H H I T B E E D F G L
O D I T L S W U N G T A A
T N N D E Y P I A S I I C
E P E I E H L M U L E N K
P K N X R F B Q O G H A W
K E I A J I R C Y H H I A
B E T D A D R A A A I S T
A E R N N U L R S H R O E
S T V I H O O L K E N I R
R E L R S P L N O Q R D T
P P E I Z N E K C A M T R
```

◊ BLACKWATER   ◊ KLONDIKE   ◊ OHIO

◊ EUPHRATES   ◊ MACKENZIE ◊ RHINE

◊ FLINDERS   ◊ NIAGARA   ◊ RUHR

◊ FRASER   ◊ NIGER   ◊ SEINE

◊ GAMBIA   ◊ NILE   ◊ SOMME

◊ INDUS   ◊ ODER   ◊ THAMES

Can't Keep a Secret

```
O B E O T L H N H M N T A
A T E K O D M R Q V D S A
T E L L S R L A C O M A Q
L M W H U A D J O R N C T
N Y O I Y M M D M K K D L
S W N B I S I N M V B A T
K A A T Z S N L U Z L O H
K R Q E C N U O N N A R U
E D E O Z K R O I T B B C
D I V Y A D T Y C U L R M
E E X E Z I Y L A E L R L
R F D D F J V Q T R O K N
D E Q Y G X W O E F T A I
E C N I V E N L N E O E D
A I N T S E F I N A M L B
```

◊ ADMIT   ◊ DISCOVER   ◊ MANIFEST

◊ ANNOUNCE   ◊ EVINCE   ◊ NOTIFY

◊ BETRAY   ◊ INFORM   ◊ RUIN

◊ BLAB   ◊ LAY BARE   ◊ SHOW

◊ BROADCAST   ◊ LEAK   ◊ TELL

◊ COMMUNI-   ◊ LET ON   ◊ UNMASK
  CATE

Famous Women

```
J D L E K R E M L D S F D
X N E S R N M D P E H I Y
Z M O T H E R T E R E S A
F E Y F U E L L M T L S O
R L E N O T L L R I L J T
A J N M O E C I E R E R L
N U R O V H C R L K Y O S
K T I A S H T N E W O O T
J T C E O N E N N O L S X
O R C H A T I N A O U E K
L A C S S A T K H L L V N
M H I U O J G U C F R E M
E R A L R P N Z H I T L O
I A B E F I A W E B D T C
R E Q T O D E L I L A H J
```

◊ ANTHONY

◊ AUSTEN

◊ BHUTTO

◊ CAVELL

◊ CHANEL

◊ CURIE

◊ DELILAH

◊ DICKINSON

◊ DIETRICH

◊ EARHART

◊ FRANK

◊ KELLER

◊ MEIR

◊ MERKEL

◊ MOTHER
  TERESA

◊ ROOSEVELT

◊ SHELLEY

◊ WOOLF

Varieties of Apple

```
T  E  V  J  A  A  E  F  L  W  W  U  L
O  B  G  N  L  C  O  O  D  M  L  Z  N
P  F  U  J  I  R  R  O  Z  A  L  L  Y
A  P  H  C  T  N  G  U  W  L  O  X  D
Z  T  M  U  T  S  U  L  N  I  R  V  F
K  P  N  H  R  T  E  T  Y  N  R  E  I
W  E  J  T  C  E  D  C  N  D  A  N  A
I  I  A  N  A  T  N  A  S  A  C  T  K
D  E  N  V  A  N  B  E  A  C  O  N  H
S  O  T  S  T  Y  I  N  M  R  R  E  T
A  X  N  D  T  L  N  R  K  K  T  Z  A
H  W  O  Q  T  O  O  O  B  Z  L  K  E
E  I  W  C  G  L  N  E  S  B  A  A  N
D  C  W  N  A  T  N  U  S  N  N  T  V
P  E  F  N  W  F  Q  C  E  D  D  Y  Y
```

◊ AKANE   ◊ CORTLAND   ◊ MUTSU

◊ ALKMENE   ◊ COX'S   ◊ SANTANA

◊ ANNURCA   ◊ ENVY   ◊ SONYA

◊ BEACON   ◊ FORTUNE   ◊ SUNTAN

◊ BRINA   ◊ FUJI   ◊ TOPAZ

◊ CARROLL   ◊ MALINDA   ◊ WINSTON

194 Pirates

```
C W J D B N N A G R O M L
R H F A A O O T N U Q N E
M Q E M Q E H N O P F O S
U L O S A L H O N R K N S
R U I L T L D E H A R A E
F A S O K A X I R O C A V
O H I O E G U A U U Y E P
E L Q D O C E A N G G J Y
L E F J E O Z R E J O I F
T E I A D R A H E T X L F
T K P L A N K W J V U F D
O G H T E L E S C O P E A
B S J P I L Y T O O B H C
Z B I A S L V G S Q A S A
L Y L E Y E P A T C H O M
```

◊ BOOTY

◊ BOTTLE OF RUM

◊ CANNON

◊ CHEST

◊ EYEPATCH

◊ FIGUREHEAD

◊ GALLEON

◊ GOLD

◊ JEWELS

◊ KEELHAUL

◊ MORGAN

◊ OCEAN

◊ PARROT

◊ PLANK

◊ RAIDER

◊ TELESCOPE

◊ VESSEL

◊ YO-HO-HO

Bend

```
K N I K E M T G E S I A C
T S O O L E N I L C N I O
G C N E P U H O Q N N T N
E N E U E Z E Q M R B V V
L N S P R A W F H I R L O
K R I S S R N L S E S A L
C F X B U Y D E D P H C U
U E L O A O A N I J E S T
B S T W D O A W B C S C E
Z C V I E E X U S O A U I
U U E P M N Q W A N I R D
P S H C T B E L G T B V F
Y N C G U R U L X O I E E
S O R O V R E S Q R Q E R
T Z A E E G L K N T O N T
```

◊ ANGLE   ◊ CONVOLUTE   ◊ MEANDER

◊ ARCH   ◊ CURL   ◊ PERSUADE

◊ BIAS   ◊ CURVE   ◊ SUBMIT

◊ BOW   ◊ INCLINE   ◊ SWAY

◊ BUCKLE   ◊ KINK   ◊ SWERVE

◊ CONTORT   ◊ KNEEL   ◊ WARP

Earthquake

```
R O M E R T Z F N W N R X
W V M F R C O E D D C E Y
K L S W B F F F K R T V H
L C A T V I N O A A S R R
B V O N R R U C R A U C I
U E T H D E K U Y C R Q C
C U S R S S S Y M E J H
K I U J T R L S S U T S T
L E R P H J E I C P S S E
I L C V M F E T D H A O R
N D A J Q S U R F E S O U
G K H S E T A L P A I A L
P E M T E Z R Q R V D R R
G N I K A H S X N A U Q E
H S Q H A A F R Q L S I E
```

◊ AFTERSHOCK   ◊ FOCUS   ◊ RICHTER

◊ BUCKLING   ◊ FORCES   ◊ SEISM

◊ CRACKS   ◊ HAZARD   ◊ SHAKING

◊ CRUST   ◊ LANDSLIDE   ◊ STRESS

◊ DISASTER   ◊ PLATES   ◊ TREMOR

◊ FIRES   ◊ QUAKE   ◊ UPHEAVAL

Fictional Sleuths

```
H  O  U  S  T  O  N  L  X  N  E  S  D
Y  A  E  N  L  T  X  I  A  N  Y  J  Z
A  A  E  D  N  C  Z  G  E  N  Z  K  X
V  Z  N  L  A  C  E  Y  V  E  I  P  F
R  I  M  N  S  R  L  C  C  I  E  E  Y
E  F  I  Z  A  L  K  R  N  T  L  T  E
T  Z  R  S  I  H  O  E  E  L  I  R  N
R  R  O  G  A  C  D  R  E  L  A  O  G
A  E  C  R  K  E  W  R  J  R  V  C  A
C  M  R  E  X  I  Y  N  A  H  C  E  C
Y  Y  T  H  M  Q  S  G  T  H  O  L  N
O  T  S  S  U  M  T  T  N  K  C  L  L
T  Q  E  E  O  Q  L  T  S  X  O  I  L
O  Y  E  N  V  E  P  G  E  U  D  X  R
N  N  K  S  T  E  R  G  I  A  M  J  N
```

◊ CAGNEY

◊ CARTER

◊ CHAN

◊ CREEK

◊ CROCKETT

◊ ELLERY
  QUEEN

◊ HARRY O

◊ HOUSTON

◊ LACEY

◊ MAIGRET

◊ MCGILL

◊ MONK

◊ PETER
  WIMSEY

◊ PETROCELLI

◊ REGAN

◊ RICHARD
  HANNAY

◊ SGT HO

◊ ZEN

Puppets

```
M U X E L Y W I N J L C Q
N M L Y T V T X E U R H X
F M H O D E I T B D K A S
O P O Y N D D C E Y B R N
B S O H T E E T R D G L A
I T A E P T E T T O R I T
L A D Y P E N E L O P E N
L T L R U P R D K D D M A
A L E R P O L K P Y H C L
N E Z C F E A S Y D P C T
D R M F R O D L A W L A A
B G O N Z O N W L O I R T
E O X Q Y Q O K X H T T N
N F W D R I B G I B W H Y
H C T I M G Y L E Q D Y U
```

◊ ATLANTA

◊ BERT

◊ BIG BIRD

◊ BILL AND BEN

◊ CHARLIE MCCARTHY

◊ DR TEETH

◊ ELMO

◊ GONZO

◊ HOWDY DOODY

◊ JUDY

◊ LADY PENELOPE

◊ MITCH

◊ PERKY

◊ SOOTY

◊ STATLER

◊ TEDDY

◊ WALDORF

◊ ZELDA

Numbers

```
F O U R B I L L I O N L L
I N I N E T Y D E Y N W D
E Y N C O O F N M O I N T
K L E K G N I A V I A S W
N T E U Y A V S D S I E E
E W T V T U E U U X M V N
E E F P E I T O T F I E T
T L I D G N H H K N E N Y
X V F H S T O T H I R T Y
I E T S N U U E E R R Y O
S Y K E S F S N O O D S S
P N V A W I A I F T Q I I
T E N N O A N N E N K X X
S D A L H E D Y T F I F T
D E R D N U H N E V E S Y
```

◊ EIGHTY

◊ ELEVEN

◊ FIFTEEN

◊ FIFTY

◊ FIVE
THOUSAND

◊ FORTY

◊ FOUR BILLION

◊ NINE
THOUSAND

◊ NINETY

◊ SEVEN
HUNDRED

◊ SEVEN
THOUSAND

◊ SEVENTY-SIX

◊ SIX
THOUSAND

◊ SIXTEEN

◊ SIXTY

◊ THIRTY

◊ TWELVE

◊ TWENTY

Moods

```
T P C J A S U Y G Z S T E
X Y I L X W Z S E R C I R
S T R C Y A V I G T K E S
U S O L L R T I N O X V L
N E H S F M I E I C I W W
N T P E Y B F N I V S C M
I L U F Y O J T A U O T A
N Z E E E T E C B N Q G W
E Y T J M D I D C N N T K
E P R I V O U E I I O G I
F P S L U E R O K Z B L S
E A E S D N O L P L O U H
Y H C T E T U N B X R M R
L F R D E S P O N D E N T
N W O D I Q D L J U D X Z
```

◊ BORED   ◊ GLUM   ◊ SUBDUED

◊ CONCERNED   ◊ HAPPY   ◊ SULKING

◊ DESPONDENT   ◊ JOYFUL   ◊ TESTY

◊ DOWN   ◊ LAZY   ◊ TETCHY

◊ EUPHORIC   ◊ MAWKISH   ◊ VIVACIOUS

◊ EXCITED   ◊ QUIET   ◊ WARM

All Together

```
K P I H S R E N T R A P B
C A F M K L M L H Z E U Q
A S A A I E R G E D L Q F
T S O P U Q A J N C E A O
S E I T N M W H N A N O I
U M D S I Q S P P C G A L
D B E O T C W D A M P J S
N L M E E R E O A U U H H
J Y B P D D I E O R U L U
D I A U T Q T N I C L R C
D E N O H X U S G K C D L
S Q D R C L D B D O B W D
N O I T A R O B A L L O C
L N N D E I E F M J D R S
A T S H Y S A W D H A C I
```

◊ ASSEMBLY   ◊ CROWD   ◊ STACK

◊ BAND   ◊ GANG   ◊ STRING

◊ CLUB   ◊ HERD   ◊ SWARM

◊ CLUMP   ◊ MASS   ◊ TEAM

◊ COLLABORA-   ◊ PARTNERSHIP   ◊ TROUPE
  TION
                    ◊ PILE   ◊ UNITED

◊ CREW

Buzzwords

```
T N Q L S R N O S V W H S
A H L L C S P I N U P T Y
E V R I I Y Q C Y R M W N
G T I K T N Z B E U S O E
N L X S S Y T T R S B R R
A O Z P I O K O L R E G G
H O N U G O S B A L I E Y
C C I Q O L N I L F S V L
E O W D L E N I R K E I H
M I N D S E T E N R P T M
I E I M R S E N B G A A O
G E W A T M R I I V P G Y
E X J J I K F V E S J E I
R V U U B Y E G R U S N N
K J M S S E N L L E W D S
```

◊ B-TO-B

◊ BUY-IN

◊ COOL

◊ FREEMIUM

◊ LOGISTICS

◊ MINDSET

◊ NEGATIVE GROWTH

◊ NO-BRAINER

◊ REGIME CHANGE

◊ SPAM

◊ SPIN-UP

◊ SURGE

◊ SYNERGY

◊ UPSKILL

◊ VERBIFY

◊ VISIONING

◊ WELLNESS

◊ WIN-WIN

Double "O"

```
U O O L U O R O O W Z N O
S O O A R O E S L U O P O
A F T E R N O O N Q R O C
B B C O F E S T O O N F L
C P A O O E O F O O O F O
L O L N I O U F O U H W W
O H O D D N G S D D X O S
O T S L J I E L O O U O B
O O K Y E L C O O K O A O
E E O I O D H O W O L G O
O T O F L N S D O L H O O
O O B M A B R O R T R C I
U M U M P O M O O L G A S
E W O O D Y O V Y O O L N
O O H G G M I D E T O O B
```

◊ AFTERNOON   ◊ COOLED   ◊ PROOF

◊ BALLROOM   ◊ FESTOON   ◊ SCHOOL

◊ BAMBOO   ◊ GLOOM   ◊ SWOONS

◊ BANDICOOT   ◊ GOOD   ◊ VOODOO

◊ BOOKS   ◊ MANHOOD   ◊ WOODY

◊ BOOTED   ◊ NOOSE   ◊ WOOL

204   **The Best**

```
G Y A S H C T O N P O T F
L G R O E R R E N I C Q Q
E A O A N L P K U C H E E
J W C J L E E E T K O I T
D S W I I P F C R O I Q J
A L E D E I M T T F C T S
E U A T N R O E A T E U L
K L T E I T S K X H P C A
G Z S I D L G Z L E E E T
N T I S P I E E R B M Z I
T P N U X T W I U U I I P
A R P N N E O F T N R R A
V I T L J R E P T C P P C
C D B X U D A E E H A L T
U E N S J M U R T X N T I
```

◊ A-ONE   ◊ IDEAL   ◊ PRIME

◊ CAPITAL   ◊ JEWEL   ◊ PRIZE

◊ CHOICE   ◊ PERFECT   ◊ SELECT

◊ ELITE   ◊ PICK OF THE BUNCH   ◊ SUPERIOR

◊ EXEMPLARY   ◊ TIPTOP

◊ PLUM

◊ FINEST   ◊ TOP-NOTCH

◊ PRIDE

```
S A T I S F A C T O R Y H
R G M N G R E Y P F W O S
P R N S N O E A E Y S U E
L E X W I C S S T E O D Z
E E T H S S H H U I E D T
A A E N A O E E C P J A F
S B N B E A I A E R E I D
U L L K L I R N E R R R S
R E R T P G D L G S F M B
A N H R A A I E T N A U Q
B Y L T B A T C B S E V L
L I S L B I L Y H O I R A
E F E L B A T I U S N O R
P L E A S A N T X L B R H
B L R S S G N I K C A R C
```

◊ AGREEABLE

◊ CHEERFUL

◊ CRACKING

◊ DEPENDABLE

◊ FIRST-CLASS

◊ GRACIOUS

◊ GREAT

◊ HEALTHY

◊ OBEDIENT

◊ PASSABLE

◊ PLEASANT

◊ PLEASING

◊ PLEASUR-
ABLE

◊ RELIABLE

◊ SATISFAC-
TORY

◊ SMASHING

◊ SUITABLE

◊ SUPERB

206   Car Manufacturers

```
B D B S U D Y Z S O L Y E
R E V O R R I N V N E O G
C U S O V E A D E D T E U
N J F M I G L B A D N J Q
I X Y C C N B R U E L E H
S Z X P I I F U R S W O T
S V O L K S W A G E N O H
A K O W I L L Z U D H O O
N S K S R M B A A T V B C
C W U S O R A W L R O S S
O Z T T P P A D I A L J Q
U K O G O I S L F M V B S
A R O N N L E Q T S O E K
S I J A V Y D A I M L E R
Y Y H V V Y B X S K O D A
```

◊ DAEWOO

◊ DAIMLER

◊ FORD

◊ GENERAL
  MOTORS

◊ HOLDEN

◊ HONDA

◊ ISUZU

◊ LOTUS

◊ NISSAN

◊ RILEY

◊ ROVER

◊ SAAB

◊ SINGER

◊ SKODA

◊ SMART

◊ SUBARU

◊ VOLKSWAGEN

◊ VOLVO

Military Leaders

```
G R M A E Z T S I R R A H
Y E O Q B N A L L E N B Y
D D C L A F B B W Q R E A
O D F R N G I O C A N P M
W E G T O A H I D A D Z A
D T O E E N M L L T S C M
I M O D E L E R N U H O O
N X O S G Y E E E A E O T
G T I S N M D C N H G I O
L E D Z A U W N O O S W R
O I K T T L I N E L S O N
J I O S R B A R I D V O H
T G N U A Q I M E I N A E
H A E L M N C P X T I K R
L M V L G V D F L G J E V
```

◊ ALLENBY   ◊ HAIG   ◊ SHERMAN

◊ BRADLEY   ◊ HANNIBAL   ◊ SLIM

◊ DOWDING   ◊ HARRIS   ◊ STUDENT

◊ EISENHOWER   ◊ KONEV   ◊ TAMERLANE

◊ GOERING   ◊ MODEL   ◊ TEDDER

◊ GRANT   ◊ NELSON   ◊ YAMAMOTO

"Z" Words

```
Z Y L S U O L A E Z R Z Z
Y E A V L B E R G A Z R Z
L A N O Z I I E I G O L Z
Z D Y M T A R U G G I Z O
G Z Y K Z Z N L Z Z S U D
Z E I G D K Y T O I W V I
H E E N O I L G A B A Z A
N B B D N L T Z O C E Z C
Z Z A R H I O Z N T A E A
V T H W A C A O I N E N L
M U I N O C R I Z L E I L
Z O M B I E Z I A F C T M
R A E P Z K B I D Z O H R
G B E L F A K H N H S I M
Z A Z W R G O Z E C M G Z
```

◊ ZABAGLIONE   ◊ ZEBRA   ◊ ZIRCONIUM

◊ ZAGREB   ◊ ZENITH   ◊ ZODIACAL

◊ ZAIRE   ◊ ZIGGURAT   ◊ ZOMBIE

◊ ZANTAC   ◊ ZILCH   ◊ ZONAL

◊ ZANZIBAR   ◊ ZINC   ◊ ZOOLOGY

◊ ZEALOUSLY   ◊ ZINNIA   ◊ ZYGOTE

Sandwich Fillings

```
B  I  A  C  O  Z  D  K  L  N  E  V  E
A  C  G  U  A  C  A  M  O  L  E  G  U
R  W  U  G  R  E  S  D  N  T  L  A  G
C  L  H  C  T  D  A  O  O  N  T  L  D
E  G  A  S  U  A  S  J  I  N  Z  C  R
F  Y  D  N  Q  M  S  H  N  X  R  T  E
B  E  E  F  U  T  B  O  O  E  A  I  T
C  K  E  R  O  I  C  E  S  I  I  E  R
S  R  V  M  S  E  S  S  R  M  J  F  U
X  U  A  L  U  R  I  V  A  A  J  G  F
R  T  L  L  N  S  B  R  C  L  W  T  K
O  A  H  O  B  B  T  I  R  A  C  C  N
D  N  C  I  R  S  U  A  I  S  H  O  A
I  A  D  E  A  T  N  T  R  W  A  E  R
B  U  W  P  X  O  A  G  O  D  M  Q  F
```

◊ BACON

◊ BEEF

◊ CRAB

◊ CRESS

◊ CUCUMBER

◊ EGG

◊ FRANK-
  FURTER

◊ GUACAMOLE

◊ HAM

◊ MUSTARD

◊ ONION

◊ PASTRAMI

◊ SALAMI

◊ SAUSAGE

◊ STEAK

◊ TOMATO

◊ TUNA

◊ TURKEY

Soup

```
S A X O L I Y T M D S O B
O Z F T M N O H B A C O N
P O T A G E W E S I U T E
R Y F M I O A V E I G N O
N A I O N L G G L I F N I
U P T T E I R L E R Q H E
G M O U L S A U H V S H Y
U N Z I B B A T S A P E S
A A D F A O T D D O K S H
C G L I T N E L J R F F A
L L S Q E I E N U Y K O R
C S N F G O X T A I L O K
E R E W E N E S B V P I F
W E A E V E A J I A C O I
B K I B S A X V H F L S N
```

◊ AJIACO   ◊ DASHI   ◊ POTAGE

◊ BACON   ◊ FISH   ◊ SHARK FIN

◊ BEEF   ◊ LENTIL   ◊ TOMATO

◊ BOUILLA-   ◊ ONION   ◊ TURKEY
  BAISSE
                  ◊ OXTAIL   ◊ VEGETABLE

◊ CAZUELA
                  ◊ PASTA   ◊ WONTON

◊ CRAB

```
A E N O H P E L E T K N A
U X T J C I N U U F S P C
O R C L E V G Z U T A E K
L E O R A D I O E U M J S
X C P B A M C W J E S S F
K J R O O C H A N H A S L
B W E N C E R T M P G P A
U E V U E S S O M E L T S
B O O L I O I O T A R J H
B I L O L W C R S O R A L
L I V V T D B T E E M A I
E A E I T N I R I P S A G
G C R Y N C S B O E M O H
U D N I N Y D R R B M L T
M Y K L E B L Q D Z C S B
```

◊ ASPIRIN   ◊ FLASHLIGHT   ◊ RADIO

◊ BUBBLE GUM   ◊ GAS MASK   ◊ REVOLVER

◊ CAMERA   ◊ LASER   ◊ TELEPHONE

◊ CEMENT   ◊ MOTOR CAR   ◊ VELCRO

◊ CLOCK   ◊ PERISCOPE   ◊ VINYL

◊ COMPASS   ◊ PLASTIC   ◊ WHEEL

212   Cards

```
G E A R S G N I T E E R G
I N V I T A T I O N E S W
E I F I L E D S D P L Y P
E T E Q D E A V O I D M D
L N R T B B Q R D A Z P A
S E O I T E T Q D F L A Q
W L T H E P B F T N E T R
D A S T P M A F J I D H R
K V G N J U E L O A M Y E
R J N C G R R M R Z R E T
F E W I O T S I O Q U S A
E D F B T U O H K R T Y R
E T V D E L R X N T Y D O
A G N I D A R T A L S F T
G N I D R A O B B J B R Y
```

◊ BANK

◊ BOARDING

◊ COURT

◊ DEBIT

◊ FILE

◊ GIFT

◊ GREETINGS

◊ INVITATION

◊ MEMORY

◊ PHONE

◊ REPORT

◊ STORE

◊ SYMPATHY

◊ TAROT

◊ TIME

◊ TRADING

◊ TRUMP

◊ VALENTINE

```
Y S X R J V J U M W D W K
E N S O Z O G I A O W A N
Z L B E T O C Q T T T Y L
E G U P I R Z S N L N E S
B I U C O T T H G I L S N
N N G D S P A K T L Q L T
Y D O A S U U I G A S C S
O T N L K S N Q R Y A O D
L F H C P W L I A P P K Z
S P I O J Y H D M O C E J
G T T N S U S O I E I X Y
M R E W G D C N P I T N G
Z S E E D E T S P W E I A
R A L F R N R E X E Q L M
Z E G U T N O I T C A R F
```

◊ COMPACT

◊ DOTS

◊ FINGER

◊ FRACTION

◊ JOT

◊ MICRODOT

◊ MINUSCULE

◊ MITE

◊ MOTE

◊ POINT

◊ PUNY

◊ SEED

◊ SLIGHT

◊ SPECK

◊ SPOT

◊ TEENY

◊ TICK

◊ TINY

Words Ending "Z"

```
Z O T S J Z P Q U A R T Z
H C I Z T I A N I B R Z V
M A B U Z Z S P I T Z T R
S C E Z W Z E Y O G S S V
Z C A U Z R Z Z M T H O K
N Z E I C Y T M A Z I Y S
Z S E Z B N Z B W J R U O
E X E U I V L I Z F A Z E
C Y L L S I E A S Y Z Z Y
Z S B J T Z R R N F U Z Z
E K Q D W H S R A E D F L
R H U H Z U A I L C S U N
E S I U E L T T A T R D E
W Z Z R B H Z Z A Z W U G
Z S D G I G A H E R T Z Z
```

◊ ABUZZ

◊ BIARRITZ

◊ BLINTZ

◊ ERSATZ

◊ FUZZ

◊ GIGAHERTZ

◊ JAZZ

◊ OYEZ

◊ PIZZAZZ

◊ QUARTZ

◊ QUIZ

◊ SHIRAZ

◊ SOYUZ

◊ SPITZ

◊ SUEZ

◊ TOPAZ

◊ VERACRUZ

◊ WHIZZ

Home Brewing

```
T R O W M U L P O F B L K
X Q P T L U E E U U E L D
Q T M L L C S L S W M R V
A S A E B A L T G H X C M
O G P T E N M L E E G T E
E W D I E R P L K A S R L
W V E S R P S U R T U G S
U O S G T S A E Y T G R A
G A T P M F T X A M A S H
Y L U W W A N R G H R E S
W I N E E O E S E E L F G
S P O H C P R D Q C N D U
B Z X U M R I V R D G C J
O T H E R M O M E T E R B
Z V T I B J H M Q P Z O H
```

◊ BEER

◊ FULLNESS

◊ HEATER

◊ HOPS

◊ JUGS

◊ KEGS

◊ LEES

◊ MALT

◊ MASH

◊ MUST

◊ SUGAR

◊ TEMPERA-
TURE

◊ THERMO-
METER

◊ ULLAGE

◊ WHEAT

◊ WINE

◊ WORT

◊ YEAST

Battles

```
D K H O U I E D N I N S A
N A S E B Y T M C J A A L
R A Y K V C H M M R D Q S
S Q Q G E E A K I O E O M
T I A R T N N G U D S T O
A Z C F N J D I L R Y M E
A Y P U C M U E N D B S L
I Y R N E G N I L D R O N
K O A J N M O F T O L F T
C N B T T C B H X A M S S
E F E B R O O Y X E I I C
B N L I E L Y P A A Q E T
E W I P I E N R A M D E U
U M N H T F E Q D I E L N
Q O S O F E A G O I Z N A
```

◊ ANZIO   ◊ GAZA   ◊ QUEBEC

◊ BOYNE   ◊ MARNE   ◊ SEDAN

◊ CORUNNA   ◊ NASEBY   ◊ SHILOH

◊ CRETE   ◊ NILE   ◊ SOMME

◊ EBRO   ◊ NINEVEH   ◊ TOBRUK

◊ ETHANDUN   ◊ NORDLINGEN   ◊ YAMEN

Canada

```
T  I  U  L  A  Q  I  T  M  T  M  O  D
P  C  W  O  R  X  B  S  H  W  R  F  N
E  Z  S  B  B  O  I  B  Y  T  R  P  X
X  Y  N  G  Q  I  S  S  J  O  T  S  N
L  D  H  C  H  P  R  D  D  W  F  O  J
P  R  O  V  O  S  T  A  N  D  K  T  I
Q  A  J  A  Q  P  R  C  C  I  C  T  E
Q  H  T  W  A  B  U  S  H  O  W  A  J
M  T  S  S  A  G  W  X  C  R  J  W  A
U  R  E  L  T  S  I  H  W  W  L  A  T
N  O  H  O  U  P  R  E  D  D  E  E  R
I  P  D  Q  H  A  R  E  V  A  E  B  E
T  N  O  T  N  O  M  D  E  Z  C  E  B
Y  S  Z  E  N  H  Y  Y  N  C  V  N  L
S  H  C  R  E  G  I  N  A  I  R  R  A
```

◊ ALBERTA ◊ LABRADOR ◊ ST JOHN'S

◊ BEAVER ◊ OTTAWA ◊ UNITY

◊ CARIBOU ◊ PORT HARDY ◊ WABUSH

◊ COCHRANE ◊ PROVOST ◊ WHISTLER

◊ EDMONTON ◊ RED DEER ◊ WINDSOR

◊ IQALUIT ◊ REGINA ◊ YOHO

Irregular Verbs

```
N E K A T R A P P L Q P E
I W N G S O W V Z S S Y T
Q B E W P T E S W E P T C
H S W S G N J E Y T H A D
E N Q O F U R Y T N A V Q
S E E V H G T R O D R Y S
O T D E E N C T L E F N
W A S R Y B O Y Z D O O Q
V E I T A D O N O C A M E
L B S H K E S T H M M E T
D W D R S O H D E Y R O N
R O A E E Z O S L C H X S
E R R W E L R T I S D O M
W B O D O U N A L M L U M
L N N T D K P V M D E A G
```

◊ BEGUN   ◊ KNEW   ◊ SHORN

◊ BROWBEATEN   ◊ MISHEARD   ◊ SOLD

◊ CAME   ◊ OVERTHREW   ◊ SWEPT

◊ DREW   ◊ PARTAKEN   ◊ TOOK

◊ DUG   ◊ REGREW   ◊ TROD

◊ FELT   ◊ SAW   ◊ WON

```
T O E L O H Y P S L O U T
I U E S D T M E W U E P M
N B O P S C G P O P E A A
A H I P A A V A L R N E P
X D C V S O F U F H P E U
V Q I S I C G O O R W R N
E T A D V H R L X O W R C
Y P S E O A E A R H S E T
F R N L T F C M N S O N U
E T E I K H H T E N L L R
Y J O N G O Q C G Q Y F E
T N K L L D E B Z T S F T
Q X L E E R U T R E P A A
P W O T V E G U A G U L F
N E R R A W M W X T E E L
```

◊ APERTURE

◊ CAVITY

◊ CRANNY

◊ FOXHOLE

◊ GULF

◊ INLET

◊ MANHOLE

◊ PASSAGE

◊ PERFORA-
TION

◊ PLUGHOLE

◊ PUNCTURE

◊ RECESS

◊ SPOUT

◊ SPYHOLE

◊ VENT

◊ VOID

◊ WARREN

◊ WORMHOLE

220   **Coatings**

```
P  I  W  N  V  D  K  F  J  G  H  T  G
P  A  T  B  L  A  N  K  E  T  P  L  L
X  R  S  O  R  A  A  Z  M  I  A  I  G
X  S  G  T  C  U  R  I  U  S  P  G  X
T  T  E  J  R  D  Y  B  P  G  E  B  O
E  U  N  H  R  Y  K  B  T  D  R  O  G
M  C  N  N  L  O  J  L  Q  E  U  O  E
L  C  A  X  R  L  A  C  A  Z  Z  K  N
J  O  K  M  Z  H  C  D  G  W  F  E  A
K  I  O  D  P  C  C  H  O  E  X  T  R
G  L  D  S  X  R  C  I  R  C  O  G  B
U  R  A  T  U  N  G  J  C  O  T  G  M
T  S  T  M  T  G  R  Y  S  I  M  H  E
Y  C  B  S  F  Z  I  N  C  U  N  E  M
I  S  T  S  S  F  G  U  D  L  Y  G  A
```

◊ ASPHALT   ◊ ICING   ◊ PASTRY

◊ BLANKET   ◊ MEMBRANE   ◊ SOOT

◊ BREAD CRUMBS   ◊ MUD   ◊ STUCCO

◊ OIL   ◊ TAR

◊ CHROME

◊ ORMOLU   ◊ WAX

◊ GILT

◊ PAPER   ◊ ZINC

◊ GOLD

Things That Can Be Mined 221

```
J Q L N H K N G S I M Z I
O S I L V E R E Q O L I T
M T W R G P T C L X V N U
Q K C F F I G Y O R J C L
W K V O X L B M E B E F E
E V J U A D I T G D A T A
M M A X E L A N B Q I L D
X B E N P L I Z T R T Z T
Y X U R S O T S E B S A M
D M R O A M Q T R N T N Y
Z L Z T L L I N P T M C Q
I R O N T S D I L K Y Q K
H I X G S M U S P Y G Q N
G P R A N C S D I A V O G
E D C R E S I O U Q R U T
```

◊ ASBESTOS   ◊ FLINT   ◊ SALT

◊ BAUXITE   ◊ GOLD   ◊ SILVER

◊ CASSITERITE   ◊ GYPSUM   ◊ SLATE

◊ COAL   ◊ IRON   ◊ TIN

◊ COBALT   ◊ LEAD   ◊ TURQUOISE

◊ EMERALDS   ◊ MOLYBDENUM   ◊ ZINC

222 High Altitude Towns and Cities

```
N O S O M A G O S L V A A
L J N B E F O Y M K D Z M
B A D U Y I J T L D B A E
B J J I P L S U I C F C E
S N I I L E Z S L U H N L
O U H U A R A Z E I Q E U
B T Q T G B H P M D A U H
O Y P A A N E A C M J C U
G E U B W T L E B H R J A
O C A E A H H A K L I S N
T S Q L U D T N P R P A C
A L B A S O M L L A W C A
Z K C L W W R D D B Z A Y
Y A Z T E L H L S I L B O
N Y E O T A M R E L A A O
```

◊ ADDIS ABABA   ◊ DESSIE   ◊ LERMA

◊ AMBATO   ◊ EL ALTO   ◊ PUNO

◊ BOGOTA   ◊ HUANCAYO   ◊ QUITO

◊ CHIA   ◊ HUARAZ   ◊ SACABA

◊ CHIMAL-   ◊ JULIACA   ◊ SOGAMOSO
  HUACAN
         ◊ LA PAZ   ◊ TUNJA
◊ CUENCA

Beaches

```
E R E A R I T A M H R Z Q
N A L X N I T W I R G I Q
U M I O D I K S Y D T L I
T A V T P W Q I A X N S C
P M T N E E S U K Z S O N
E E O I A R S S L I E E B
N N M I N M O M N O A X R
A A E G N A R O E X N W L
V P B Y K L Z E E N Y G V
A I P B I X D N T F D R F
G U A R G S E R A S K E R
I C G G N A B A S M E U S
O E U L D E X X S B G H H
N O O Q P A N J S R C O C
R Q S K C A L B C E D A R
```

◊ BLACK'S

◊ BONDI

◊ CEDAR

◊ CHESTERMAN

◊ ES GRAU

◊ IPANEMA

◊ LONG

◊ LOPES MENDES

◊ MANZANITA

◊ MATIRA

◊ NAVAGIO

◊ NEGRIL

◊ NEPTUNE

◊ NISSI

◊ ORANGE

◊ ORETI

◊ SABANG

◊ WAIKIKI

Cats' Names

```
Y X I N E N R E N X B Y Y
G E K D Y N B Q I G Y K T
T J I M I M N R A S C A L
Y G K U X U G B Z U C P I
N T X O Y I Y O L L A B L
E P T C N R O H S O L L L
S U O I C E R P O F L N Y
F N F I K P R M C O I A W
O U K D Y S D T O J E F L
Y O S T C Y S D C S J D Y
L T D U G L I I T W C N S
Y B S Y E I Q E M D F D B
S B I U Z L M Q J N A L A
S Y O K D S E G R O E G B
D Z M T D S Z E W O C E Y
```

◊ BABY   ◊ LEO   ◊ MIMI

◊ CALLIE   ◊ LILLY   ◊ MISS KITTY

◊ COCO   ◊ LILY   ◊ NALA

◊ DUSTY   ◊ LOKI   ◊ PRECIOUS

◊ GEORGE   ◊ LOLA   ◊ RASCAL

◊ KIKI   ◊ LUCKY   ◊ TOBY

Solutions

1

2

3

4

5

6

7

8

Solutions

9

10

11

12

13

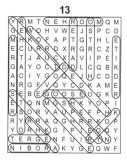

14

15

16

Solutions

17

18

19

20

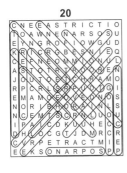

21

22

23

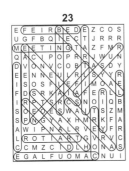

24

Solutions

25

26

27

28

29

30

31

32

Solutions

33

34

35

36

37

38

39

40
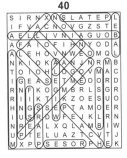

Solutions

41

42

43
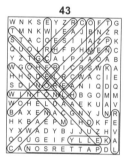

44

45

46
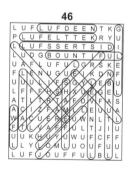

47

48
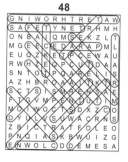

Solutions

49

50

51

52

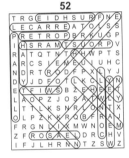

53

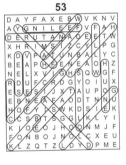

54

55

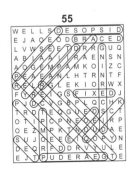

56

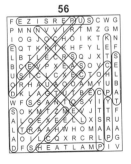

Solutions

57

58

59

60

61

62

63

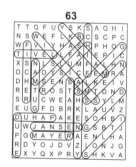

64

Solutions

65

66

67

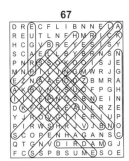

68

69

70

71

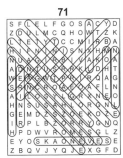

72

Solutions

73

74

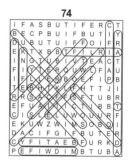

75

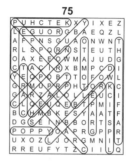

76

77

78

79

80

Solutions

81

82

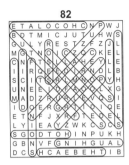

83

84

85

86

87

88

239

Solutions

89

90

91

92

93

94

95

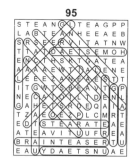

96

Solutions

97

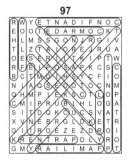

98

99

100

101

102

103

104

Solutions

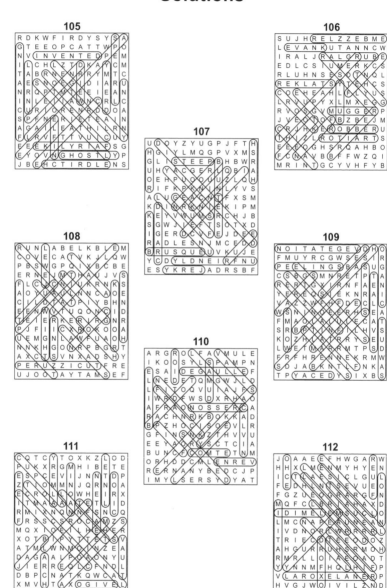

105

106

107

108

109

110

111

112

Solutions

113

114

115

116

117

118

119

120

Solutions

121

122

123

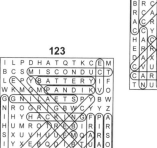

124

125

126

127

128

Solutions

129

130

131

132

133

134

135

136

Solutions

137

138

139

140

141

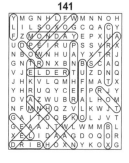

142

143

144

Solutions

145

146

147

148

149

150

151

152

Solutions

153

154

155

156

157

158

159

160

Solutions

161

162

163

164

165

166

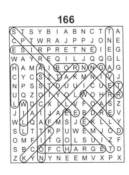

167

168

Solutions

169

170

171

172

173

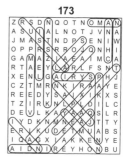

174

175

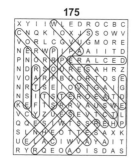

176

Solutions

177

178

179

180

181

182

183

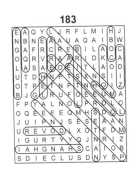

184

Solutions

185

186

187

188

189

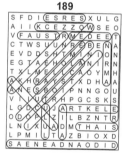

190

191

192

Solutions

193
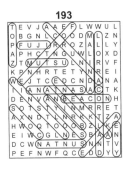

194

195

196

197
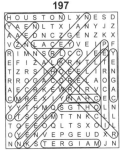

198

199

200

Solutions

201

202

203

204

205

206

207

208

Solutions

209

210

211

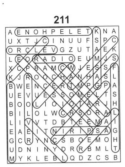

212

213

214

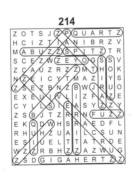

215

216

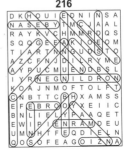

Solutions

217

218

219

220

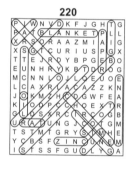

221

222

223

224